Collection Zoombira

RICHARD PETIT

LES YEUX DE LA MÉDUSE

Texte et illustrations de Richard Petit

Dépôt légal : Bibliothèque et Archives nationales du Québec, 2e trimestre 2008

ISBN : 978-2-89595-335-7

Imprimé au Canada

Gouvernement du Québec – Programme de crédit d'impôt pour l'édition de livres – Gestion SODEC

Boomerang éditeur jeunesse remercie la SODEC pour l'aide accordée à son programme éditorial.

Nous reconnaissons l'aide financière du gouvernement du Canada par l'entremise du Programme d'aide au développement de l'industrie de l'édition (PADIÉ) pour nos activités d'édition.

edition@boomerangjeunesse.com
www.boomerangjeunesse.com

Deux de trois reviendront...

Prologue

De mémoire d'homme, personne, ni même aucune créature, n'avait réussi à parcourir une si grande distance sur l'atoll de Zoombira. Comme les anciens écrits l'attestaient, à cause du labyrinthe, toutes les années d'une vie étaient insuffisantes à la traversée d'ouest en est de l'unique et colossal continent de la Terre. Mais contre toute attente, trois jeunes Lagomiens avaient progressé de façon extraordinaire en quelques années à peine.

Poussés par l'amitié, l'amour et le sacrifice, Tarass Krikom le guerrier, Kayla Xiim la mage et Trixx Birtoum le morphom se dirigeaient vers Drakmor, la contrée la plus à l'est, d'où était issu cet être démoniaque qui avait déclaré la guerre à toutes les civilisations de l'atoll.

Ce fou avide de pouvoir n'épargnerait ni femmes ni enfants pour arriver à ses fins… Ce fou se nommait Khonte Khan !

Tarass, Kayla et Trixx avaient déjà traversé cinq contrées et il ne leur en restait que deux à franchir pour atteindre l'est de l'atoll de Zoombira. Au cours de leur expédition, ils avaient formé une alliance solide et puissante avec les guerriers élites des différentes contrées qu'ils avaient croisées. Cette alliance était plus qu'un accord stratégique, c'était un signe d'admiration et d'union fraternelle envers celui que toutes les prophéties annonçaient comme le protecteur de l'atoll de Zoombira… TARASS !

Après les longs mois passés à errer avec ses compagnons entre les murs monotones de l'interminable labyrinthe de Zoombira, Tarass ne comptait plus les jours. Tout ce qu'il savait, c'est que depuis leur entrée dans ce méandre tortueux et infernal, il avait ajouté deux époques à son âge. Il avait maintenant vingt-trois ans.

Ses inséparables amis, Kayla et Trixx, tentaient inlassablement de répertorier les passages qui s'offraient à eux. C'était un travail laborieux qui demandait toute leur attention.

Cette traversée du labyrinthe était beaucoup plus longue que les précédentes, et cette section particulièrement semblait sans fin. Mais telle la grande mage qu'elle était devenue lors de son passage dans la contrée oubliée, Kayla persévérait sans manifester la moindre impatience. Elle savait très bien qu'ils ne devaient pas baisser les bras s'ils voulaient sortir vivants de ce lieu maudit.

Plus ils approchaient de Drakmor, la contrée de Khonte Khan, plus le dédale des galeries augmentait en complexité. Il semblait même parfois inextricable. L'expérience des centaines de milliers de sabliers passés dans le labyrinthe depuis les premiers jours de leur périple paraissait totalement inutile.

Ne pouvant pas se fier à ses ograkks ou à ses zarkils meurtriers pour éliminer ce parasite nuisible qu'était pour lui Tarass, Khan avait donné l'ordre à ses troupes de boucher tous les passages du labyrinthe en érigeant des murs de pierres. Maintenant, il était devenu presque impossible à quiconque de traverser les contrées situées à l'est, près de Drakmor…

JAPONDO
LAGOMIAS
ÉGYPTIOS

INDIE
JURASSIUM
AZTEKA
D'RAKMOR
ROMIA
GRECCIA
LA CONTRÉE
OUBLIÉE
O
E
S

Comme des rats

Le gris morne des murs du labyrinthe faisait contraste avec le magnifique ciel bleu et sans nuages. Une brise fraîche et bienfaisante parcourait les passages menant du nord au sud. De rares oiseaux, quelques lièvres et des couleuvres inoffensives aux couleurs vives étaient les seuls êtres vivants que croisaient les trois amis. C'était une chance inouïe qu'ils soient partis de la contrée oubliée avec une grande provision de nourriture, car la perspective de manger du serpent, même aux jolis coloris, dégoûtait Trixx au plus haut point.

De très gros champignons comestibles poussant sur des mottes de terre nues agrémentaient leur ration quotidienne d'une portion d'aliments frais.

Les longs mois que Tarass, Kayla et Trixx venaient de passer dans le labyrinthe avaient cependant sérieusement miné leur moral. Tarass souffrait d'un horrible torticolis à force de lever la tête vers le ciel. Le bleu réconfortant de l'azur lui rappelait celui de Lagomias. Il avançait en traînant son bouclier magique derrière lui, suivant péniblement ses deux compagnons chargés de trouver la route qui les conduirait à Greccia.

Parce qu'il avait regardé si souvent de chaque côté pour examiner les passages du labyrinthe, Trixx était affligé d'un tic agaçant qui lui faisait tourner la tête vers la gauche. Kayla, elle, ne semblait souffrir d'aucun malaise. Comme elle était mage, elle était capable de soigner ses petits bobos à l'aide de simples paroles magiques. Oui ! Au contraire de Tarass et Trixx, elle n'était pas du tout affectée mentalement ou physiquement par cette pénible situation qui perdurait, elle était même radieuse...

Tarass se mit soudain à courir pour rejoindre Kayla et Trixx. En remarquant son air inquiet, ceux-ci s'arrêtèrent.

— Il y a quelque chose qui cloche ! leur cracha-t-il, le regard sérieux.

Il avait les deux yeux braqués sur une pierre du mur située entre ses deux amis.

Kayla se tourna pour fixer le mur, tandis que Trixx s'en écarta en reculant d'un pas, redoutant un piège diabolique.

— QUOI ? s'écria-t-il en scrutant le mur de bas en haut.

Tarass leva lentement son bras et posa son doigt sur une pierre.

— QUOI ? répéta Trixx, qui recula encore sans comprendre davantage.

— Vous voyez cette pierre, dit Tarass, cette pierre au dessin curieux, usé par le temps ?

Kayla ferma un peu les yeux pour

se concentrer sur les détails du bas-relief. Trixx s'approcha.

— On dirait une tête avec de gros cheveux ! remarqua-t-il enfin. De drôles de gros cheveux...

À ces mots, Kayla écarquilla les yeux. Elle venait de reconnaître cette tête horrible citée dans les anciens écrits de la bibliothèque de la grande mage Marabus, sa tante, son maître, son mentor...

— C'est le visage sculpté de la méduse ! déclara-t-elle, sûre d'elle.

De toute évidence, Tarass et Trixx entendaient ce nom pour la première fois de leur vie.

— La méduse ? répéta Tarass.

— Oui ! la méduse, leur répéta Kayla. Une nuit, lorsque, à la lueur réconfortante de mon petit fanal de lecture, j'étudiais dans la bibliothèque de la tour de Marabus, j'ai décidé de parcourir la toute dernière tablette, celle que je ne pouvais jamais atteindre parce que j'étais trop petite. À l'aide d'une escabelle, je me suis hissée tout en haut de la bibliothèque.

Ce n'est pas entre les livres soigneusement rangés les uns à côté des autres que j'ai fait une découverte incroyable, mais dans la structure même de la bibliothèque.

Tarass et Trixx écoutaient attentivement le récit de leur amie.

— Chacune des étagères était décorée d'une gargouille, poursuivit-elle. L'une de ces gargouilles, contrairement aux autres, possédait un œil qui brillait. Il s'agissait d'une pierre précieuse, un rubis. Lorsque j'ai voulu toucher la pierre, mon doigt s'est plutôt enfoncé dans la tête de la gargouille et un grondement s'est fait entendre. Dans la bibliothèque, un mur venait de pivoter, dévoilant une pièce secrète. Ma tante Marabus, alertée par le bruit, arriva aussitôt. J'ai tout d'abord pensé que je venais de faire une terrible bêtise et qu'elle allait me réprimander. Mais à son air étonné, j'ai compris qu'elle ne connaissait pas plus que moi l'existence de cette porte dérobée. Dans la pièce secrète, il y avait deux grands chandeliers aux chandelles complètement consumées placés de chaque côté d'un socle en bois noir sur lequel trônait un grand livre ouvert et couvert de poussière. C'est dans ce livre millénaire que j'ai vu pour la première fois ce visage, un visage de femme à la chevelure de serpents.

À la place de Tarass, c'est Kayla qui pointait maintenant la pierre sculptée avec son index.

— LA MÉDUSE ! Dans la mythologie greccienne, c'était une belle jeune fille dont Poséidon, dieu de la mer, était tombé amoureux et qu'il avait séduite dans le temple dédié à une autre divinité, Athéna. Cette dernière, fille de Zeus, roi des dieux, donna à la jeune fille une punition ignominieuse : elle la transforma en Gorgone, un monstre à la laideur repoussante et dont la chevelure était constituée de serpents. Par ailleurs, la méduse était dotée d'une arme infaillible contre les hommes : ses yeux grands ouverts lançaient des éclairs et pétrifiaient ceux qu'ils fixaient directement.

— Pétrifiaient ? répéta Trixx, intrigué.

Kayla tourna son regard vers lui, puis de nouveau sur la pierre avant de s'expliquer.

— Tu la regardais dans le blanc des yeux et tu étais aussitôt transformé en statue de pierre, voilà...

Trixx put retenir un frisson, mais pas ce commentaire...

— Une autre fille qui a mauvais caractère, quoi de neuf ?

— Crois-tu qu'il ne s'agit que d'une autre légende ? demanda Tarass à Kayla.

— Je ne saurais te dire, mais si jamais tu aperçois une statue arborant un visage traversé de cruelles souffrances, debout, au milieu de nulle part, il s'agira d'une victime de la méduse; alors, tu obtiendras ta réponse.

Tarass ravala sa salive. La perspective d'affronter une telle créature l'épouvanta.

Trixx s'approcha de lui.

— Tu t'imagines combattre pareil monstre ? Nous ne pourrions même pas la regarder ! Ce serait comme être aveugle, il faudrait fermer nos yeux ou regarder le sol et frapper au hasard en espérant l'atteindre avec nos armes.

— Est-ce qu'il existe un mandala qui pourrait nous aider dans une telle situation ?

Kayla répondit par un haussement d'épaules. Trixx poussa un soupir.

— C'est incroyable toutes les merdes que nous avons dans ce voyage ! Moi qui croyais que nous déplacer dans le labyrinthe serait notre plus grande épreuve.

Tarass lui jeta un regard sévère.

— QUOI ! Qu'est-ce que j'ai dit ? lança Trixx, sur la défensive.

Tarass hocha la tête...

— Tu as utilisé le mot merde ! lui répondit Kayla.

Irrité, Trixx se tourna vers Tarass.

— T'ES PAS MON PÈRE, TARASS...

— Non, je sais, mais tu peux tout de même surveiller ton langage.

— SURVEILLER MON LANGAGE ! s'écria Trixx. AH ! elle est bien bonne, celle-là ! Et lorsque monsieur Tarass traite Khonte Khan d'excrément d'asticots de fond de poubelle, il surveille son langage, lui ?

Le ton montait entre les deux amis.

Tarass colla son nez sur celui de Trixx.

— SACHE QU'IL Y A UNE DIFFÉRENCE ENTRE UN MONSTRE IGNOBLE ET UNE FILLE ! s'emporta Tarass. KHAN EST UN MONSTRE ET LA MÉDUSE, SI ELLE EXISTE, EST UNE FILLE ! TU NE DOIS JAMAIS MANQUER DE RESPECT AUX FILLES, COMPRIS ?

Kayla regarda longuement Tarass avant d'intervenir. Elle se plaça entre ses deux compagnons et posa une main sur le torse de chacun. Tarass et Trixx se fixèrent tous les deux, l'arrogance de l'un faisant face à l'incompréhension de l'autre. La main gauche de Kayla glissa sur le torse de Trixx, mais sa main droite demeura sur celui de Tarass, qui baissa les yeux vers elle.

Le cœur de Kayla battait très fort et elle ne respirait plus. Elle concentra toute son énergie à cacher les sentiments qu'elle éprouvait pour Tarass. Elle devait à tout prix éviter de se trahir, puisque le cœur de Tarass appartenait à une autre, en fait, à la première raison de cette mission : Ryanna, celle qu'il aimait. Mais si cette quête avait d'abord été motivée par l'amour, elle s'était très vite muée en formidable lutte contre le mal.

Depuis leur départ, les trois amis avaient assisté à de multiples scènes d'horreur et de désolation : des gens massacrés, des maisons brûlées, des villes et des villages anéantis. Tout cela conjugué aux longs mois passés entre les murs monotones du labyrinthe avait rendu Tarass de plus en plus intolérant envers ceux qui s'attaquaient aux autres, et surtout aux filles. Dans sa tête surgissaient constamment les images de Ryanna enlevée par les lézards volants de

Khonte Khan. Il voyait en chaque geste d'agressivité et de destruction le visage souriant de Khan. La fréquentation de la violence peut transformer n'importe qui...

De longs grains du sablier s'écoulèrent avant que Kayla puisse enfin sortir de sa torpeur. Elle finit par baisser aussi son bras droit. Tarass gonfla son torse et prit une très grande inspiration. Son visage se décrispa et il leva les yeux vers son ami.

— Bleu ! souffla-t-il, visiblement désolé.

Il était inutile que Tarass ajoute quoi que ce soit, Trixx savait que son ami regrettait de s'être emporté. Il comprenait, car lui aussi avait les nerfs à fleur de peau. Tarass pointa une deuxième fois son index vers la tête de la méduse sculptée dans la pierre du labyrinthe.

— Ce n'est pas la première fois que je vois cette pierre ! avoua-t-il à ses amis.

— Tu en as aperçu une autre plus

tôt ? lui demanda Kayla. Mais pourquoi ne l'as-tu pas mentionné avant ?

— Parce que c'est votre travail à vous de répertorier les passages en vue de notre retour, lui répondit-il du tac au tac. Moi, je suis chargé de la sécurité, je surveille les alentours en cas de danger. Et puis, je n'ai vu que cette pierre-ci, je n'en ai pas vu d'autre...

Kayla regarda Tarass...

— Mais ne viens-tu pas de dire que ce n'est pas la première fois que tu remarques une pierre comme celle-ci ? souligna-t-elle.

— NON ! Je parlais précisément de cette pierre-ci...

Il tapa plusieurs fois sur le visage de la méduse avec le bout de son doigt.

— J'ai aperçu cette pierre tantôt. J'en suis plus que certain. Regardez ici, la chevelure.

Il pointait maintenant une partie des cheveux.

— Il manque la tête de ce serpent,

leur montra-t-il. Cela signifie que c'est la même pierre que j'ai vue tantôt ! Nous sommes revenus sur nos pas, nous tournons en rond, je vous dis.

Trixx examina la pierre.

— Tu es certain que c'est la même ? insista-t-il. C'est la deuxième fois que tu vois cette pierre, tu es certain de ne pas te tromper ?

— OUI ! C'EST LA DEUXIÈME FOIS, BON ! s'emporta Tarass.

Le regard de Kayla alla de la pierre à Tarass et de Tarass à la pierre, plusieurs fois.

— C'EST IMPOSSIBLE ! déclara-t-elle, catégorique. Nous marquons chaque extrémité de passage avec une craie permanente. Il n'y a aucun signe sur ce mur.

— C'EST VRAI ! s'écria à son tour Trixx. Maintenant, à l'extrémité de chaque passage, nous dessinons systématiquement une flèche pour nous indiquer la direction que nous avons empruntée, et cette flèche est accompagnée de la lettre « G » ou « D », qui nous signale quel chemin nous avons pris par la suite.

Trixx retourna sur ses pas jusqu'au dernier passage pour le montrer à Tarass. Lorsqu'il y parvint, il arbora soudain une mine déconfite. Tandis qu'il cherchait sur le mur le signe qui était censé s'y trouver, Tarass et Kayla le rejoignirent en courant.

— On dirait que ça s'est effacé ! leur dit-il.

Sur le mur, il n'y avait plus rien. Kayla prit sa craie et dessina un X sur une pierre. Elle recula d'un pas et demeura immobile.

— Quoi ? Qu'est-ce que tu fais ? demanda Tarass.

— Chut ! souffla-t-elle en posant un doigt sur ses lèvres.

Plusieurs grains de sablier s'écoulèrent sans qu'il se passe quoi que ce soit, puis, lorsqu'elle voulut examiner le mur de près, la lettre « X » se détacha, telle une pièce de tissu, et tomba sur le sol, réduite en poussière.

Trixx se tourna vers Kayla.

— Mais qu'est-ce que ça veut

dire ? Ta craie n'est plus magique ?

Kayla hocha la tête en signe de négation.

— Non ! Ce n'est pas ma craie... Les murs du labyrinthe sont envoûtés. Il n'y a pas d'autre explication. Nous ne réussirons jamais à marquer les murs. Il nous sera impossible d'avancer, j'en ai bien peur...

— Voilà pourquoi nous errons depuis des mois sans parvenir à trouver la sortie, comprenait maintenant Trixx en regardant le ciel. Nous aurions dû saisir plus tôt qu'il y avait quelque chose d'anormal dans ce dédale. Les autres parties du labyrinthe nous ont donné du fil à retordre, mais pas comme celle-là. Nous ne parviendrons jamais à sortir d'ici, conclut-il, la mine complètement déconfite.

Tarass s'élança avec son bouclier et frappa le mur. Une profonde entaille marqua une pierre.

— Tenez ! dit-il à ses amis. J'ai marqué ce passage, nous pouvons continuer maintenant. Vous n'aurez qu'à demander, et je marquerai les passages.

Kayla hocha encore la tête et la pointa ensuite vers le mur qu'il venait de frapper. L'entaille venait de disparaître.

— Nous sommes vraiment dans le pétrin, déclara Trixx. Comment allons-nous faire pour poursuivre notre mission maintenant ?

Il se tenait la tête entre les deux mains.

— Peux-tu rompre ce sort ? demanda Tarass à son amie Kayla.

L'apprentie qu'elle était au départ était devenue une mage blanche dotée de très grands pouvoirs. Peut-être avait-elle maintenant les capacités de contrer ce mauvais sort...

— Non, je ne crois pas ! répondit-elle. Il faut un sortilège à l'efficacité redoutable pour envoûter tout un labyrinthe, vous y avez pensé ?

Un très désagréable sentiment d'impuissance envahit soudain Tarass, qui se mit à examiner nerveusement les alentours.

— Seul Khan possède un tel pouvoir, réfléchit Kayla, il est le seul sorcier capable de jeter des sortilèges à des milliers de lieues de distance...

Les paroles de son amie rappelèrent à Tarass qu'il portait sur son torse la pierre de chimère. Cet œil que Marabus avait collé sur le plastron de son armure servait à lui porter assistance lorsque les conditions magiques le permettaient. Cet œil ne s'était pas manifesté pendant des mois et n'avait été d'aucune utilité jusque-là.

— Qu'est-ce que nous allons faire maintenant ? demanda-t-il à son amie qui, découragée, venait de s'appuyer dos au mur.

Tarass se tourna ensuite vers Trixx.

— Nous n'avons plus le choix, Bleu. Tu dois te transformer.

Trixx était un morphom, c'est-à-dire une personne capable de prendre l'apparence de n'importe qui, de n'importe quel animal et même de n'importe quel objet. Une mutation exigeait cependant beaucoup d'énergie et Trixx ne pouvait réaliser qu'une transformation simple par jour. S'il voulait se transformer en chat ou en souris, il devait attendre plusieurs jours avant de pouvoir effectuer une autre métamorphose, car cela nécessitait un changement important des dimensions de son corps.

Il se rappelait trop bien sa dernière tentative. Il en porterait toujours une large cicatrice sur le dos en guise de souvenir. Ça s'était passé entre Romia et la contrée oubliée. Afin d'avoir une vue d'ensemble du labyrinthe dans lequel Tarass, Kayla et lui évoluaient depuis des semaines, il s'était métamorphosé en tourterelle et avait pris son envol au-dessus du passage où ils se trouvaient. Lorsqu'il eut atteint une hauteur lui permettant d'apercevoir enfin la sortie du labyrinthe, il fut attaqué sauvagement par le corbeau à deux têtes d'une sorcière en quête de matière première pour ses horribles mixtures et potions. C'est par une chance inouïe qu'il parvint à s'échapper des griffes de cette créature diabolique. La profonde blessure causée par l'une des serres affûtées du corbeau l'avait marqué pour la vie.

Trixx tourna le dos à Tarass et abaissa un peu la manche de son vêtement.

— Est-ce que ça te rappelle quelque chose ? lui demanda-t-il.

Tarass grimaçait chaque fois qu'il apercevait la cicatrice.

— Tu n'es pas obligé de te transformer en innocent petit oiseau. Métamorphose-toi en hydre, en gargouille ou quelque chose du genre, tu l'as déjà fait…

— Mais les murs sont beaucoup trop rapprochés ! lui fit remarquer Trixx. Je serais incapable de battre des ailes et de prendre mon envol.

Tandis que Tarass réfléchissait à une autre solution, Trixx ferma complètement les yeux, car tout cela ne lui plaisait guère.

— EN ROKUROKUBIS ! s'écria

soudain Tarass, fier de sa trouvaille. Tu sais ? Transforme-toi en une de ces espèces de femmes-démons poilues qui vivent sous la terre du Japondo. Elles possèdent un long cou qui s'étire et une tête terrifiante armée d'une mâchoire puissante. Ainsi, tu pourras allonger le cou jusqu'à ce que tu atteignes le haut du mur.

— Me transformer en une de ces femmes-monstres qui semaient la terreur au Japondo en se nourrissant de l'énergie vitale des hommes, ça me plaît..., répondit Trixx.

— Non ! les interrompit brusquement Kayla. Vous avez trop à perdre, tous les deux. Toi, tu perdrais la tête, annonça-t-elle à Trixx, et toi, tu perdrais un ami, déclara-t-elle à Tarass.

— Qu'est-ce que tu veux dire ? lui demanda ce dernier.

— Regardez juste là !

Elle pointait le mur au-dessus de leur tête.

— Entre les deux dernières rangées de pierres, il n'y a pas de mortier. C'est vide ! Il n'y a qu'une espèce de fente.

Tarass et Trixx plissèrent les yeux sans comprendre.

Kayla empoigna alors un gros champignon et l'extirpa du sol. Ensuite, elle le lança au-dessus de sa tête. Lorsque le gros champignon atteignit l'endroit le plus élevé du mur, le bruit d'un mécanisme résonna et deux lames circulaires tranchèrent le gros fongus en deux.

Les deux morceaux roulèrent sur le sol. Trixx se frotta le cou et regarda Kayla d'un air hébété.

— Ouaip ! lâcha-t-il. En effet, j'aurais bel et bien perdu la tête.

Tarass posa sa main sur son épaule.

— Moi, j'aurais perdu un ami !

— Si tu as une autre idée brillante comme celle-là, Tarass, l'implora Trixx, tu la gardes pour toi, n'est-ce pas ?

— De toute façon, constata Kayla alors que le ciel bleu devenait de plus en plus foncé, il est trop tard pour tenter quoi que ce soit. La nuit porte conseil, attendons demain et mangeons plutôt un petit quelque chose.

— BONNE IDÉE ! déclara Trixx.

— Je crois qu'il serait sage de nous rationner pour économiser nos denrées, suggéra Tarass. Nous n'avons aucune idée du temps qu'il nous faudra pour sortir du labyrinthe. Nous devrions profiter au maximum du peu de nourriture que nous trouvons dans les environs.

Il faisait allusion aux champignons qui abondaient dans cette partie du labyrinthe.

Trixx jeta un regard dégoûté autour de lui.

— MAIS EST-CE QUE TU RÉALISES QU'IL N'Y A QUE DES CHAMPIGNONS ICI ? s'écria-t-il.

— Tu viens de trouver ce qu'il y a au menu ce soir, lui annonça Tarass. Je vais faire un feu. Kayla, occupe-toi de la cueillette. Bleu, tu es responsable de la préparation des champignons, tu les coupes en morceaux.

Trixx s'indigna…

— Quoi ! Tu veux que j'utilise mon

épée bleue millénaire, laissée par mon ancêtre, pour couper de vulgaires fongus, que j'espère comestibles ?

— Tu n'es pas obligé, tu sais ! le rassura Tarass. Tu peux les lancer dans les airs, les lames mortelles du labyrinthe s'en occuperont, ajouta-t-il, moqueur.

Les deux bras de Trixx pendaient de chaque côté de son corps. Il était soudain très las.

— MAIS TU DOIS RATTRAPER LES MORCEAUX AVANT QU'ILS NE TOUCHENT LE SOL ! lui ordonna Kayla, qui avait déjà les mains pleines de champignons. C'EST PLUS PROPRE ! Je déteste manger de la nourriture qui est tombée par terre...

Trixx prit les champignons que son amie lui donna et se prépara à lancer le premier.

— Si jamais, un jour, quelqu'un relate nos aventures dans de grands livres, les générations futures pourront y apprendre que le célèbre Trixx Birtoum était passé maître dans l'art de faire rendre gorge... À DES CHAMPIGNONS ! J'aurai l'air d'un parfait crétin...

Un visiteur inattendu

Le spectacle du coucher du soleil venait de commencer. Le gris sombre des murs amplifiait l'éclat du ciel et les belles couleurs se succédaient au son des ah ! et des oh ! d'émerveillement de Tarass, Kayla et Trixx. C'était le moment le plus magique et le plus magnifique de la journée, et il se terminait toujours par un ciel noir et très pur, constellé d'étoiles brillantes. Un merveilleux moment que les trois amis ne rataient jamais, enfin presque…

Endormi, le visage tombé dans son assiette, Trixx ronflait doucement. Lorsqu'il émit un ronflement plus audible, il sursauta et se réveilla. Un gros morceau de champignon était resté collé sur sa joue.

— QUOI ? Qu'est-ce ? Mmmm.

Il leva la tête et aperçut tout à coup le ciel étoilé.

— MER... ! Euh ! ZUT ! Oui, ZUT !

Il se tourna vers Tarass qui regardait le ciel, les deux bras enroulés autour de ses jambes. Couchée sur le dos, son assiette vide toujours posée sur son ventre, Kayla contemplait elle aussi les étoiles.

— J'ai raté le coucher du soleil ! constata Trixx, visiblement déçu. Quelle journée ! Jamais vu pire. Tout d'abord, nous nous sommes engueulés. Ensuite, nous avons eu la très désagréable surprise de découvrir que nous étions emprisonnés pour aussi longtemps que TOUJOURS dans ce foutu labyrinthe de malheur. Et pour couronner le tout, je me suis endormi avant le coucher du soleil...

— Tu oublies les champignons ! lui fit remarquer Kayla.

— AH OUI ! J'allais omettre notre

festin : un copieux repas constitué de champignons grillés, accompagnés de quoi ? DE CHAMPIGNONS GRILLÉS ! Et le dessert ? Est-ce que nous avons un dessert ? Non, ne me dites rien, je sais : des champignons grillés... OUAIS !

— Non ! lui répondit Kayla sans bouger. Une joue d'idiot, au champignon.

Tarass et Trixx se tournèrent vers leur amie.

— Une joue à quoi ? répéta Trixx, perplexe.

— Au champignon ! Tu as un morceau de champignon collé sur la joue droite... Idiot !

Trixx porta sa main à son visage et attrapa le morceau. Puis, il le mit dans sa bouche pour l'avaler.

— T'es complètement dégoûtant, tu sais, lui dit Kayla.

— C'est tout ? demanda Trixx, encore affamé. Il n'y a pas autre chose ?

Tarass se leva subitement et attrapa son bouclier.

— NON ! Quelqu'un approche...

— Quoi ? Un autre dessert ?

— Silence ! intima Tarass à son ami.

Toute drapée de noir, la tête cachée sous une cagoule, une silhouette élancée progressait vers eux. Tarass souleva son bouclier et se plaça devant ses amis. Kayla se mit à genoux et fouilla nerveusement dans son sac pour en sortir un mandala de barrage.

— QUI ÊTES-VOUS ? s'enquit Tarass. QUI QUE VOUS SOYEZ, JE VOUS ORDONNE DE VOUS ARRÊTER ET DE VOUS DÉCOUVRIR !

Sans répondre à sa demande, l'étrange silhouette continua d'avancer. Lorsque Tarass voulut soulever son bouclier pour frapper le sol, il sentit son arme magique glisser entre ses doigts, puis quitter brusquement sa main et voler en direction de la silhouette, qui l'attrapa avec une facilité déconcertante. Derrière Tarass, Kayla retint Trixx, qui s'apprêtait à bondir, l'épée brandie comme une lance. Il était déterminé à embrocher l'impudent personnage.

— NON ! C'est un mage ! Je ne crois pas que les armes aient un quelconque effet sur lui, déclara Kayla.

La silhouette marchait toujours vers eux. Les regards terrifiés de Tarass et de Trixx allaient du visiteur à Kayla, qui lança enfin une boule de papier. Avant qu'elle ne parvienne à prononcer le premier mot de son incantation, une main jaillit dans leur direction, enflammant le mandala de Kayla. Tarass fit alors signe à Trixx d'intervenir, mais l'arme de celui-ci semblait possédée par une force invisible. Lorsqu'il tenta malgré tout de la manier, elle retourna contre son gré... DANS SON FOURREAU !

Sans défense, Tarass leva les deux poings, prêt à combattre jusqu'à la mort.

— QUI QUE TU SOIS, lança-t-il à l'inconnu, SACHE QUE RIEN NE POURRA NOUS ARRÊTER... RIEN !

La silhouette s'arrêta enfin devant Tarass. Elle laissa tomber le bouclier de Magalu sur le sol puis souleva ses deux bras. Trixx ferma les yeux.

Empoignant chaque côté de sa cagoule, le visiteur découvrit enfin son visage.

— MARABUS ! s'écria Kayla en reconnaissant sa tante.

Tous pour tous

Pour cacher ses larmes de joie, Kayla laissa longuement sa tête enfouie dans le cou de sa tante. Marabus souriait à Tarass et à Trixx, qui lui renvoyaient son sourire à pleines dents.

Tarass prit son ami par le cou et lui rappela ses paroles pessimistes.

— Une très mauvaise journée, as-tu dit tantôt, n'est-ce pas, une très mauvaise journée, hein ?

Il frotta son poing sur le crâne de Trixx.

— AÏE !

Kayla leva enfin la tête.

— MAIS QU'EST-CE QUI VOUS

A ENTRAÎNÉE SI LOIN DE NOTRE CONTRÉE, CHÈRE TANTE ?

Marabus prit les deux mains de sa nièce et s'écarta pour l'admirer.

— Tu es absolument magnifique. Le blanc te va à ravir, n'est-ce pas, les garçons ?

Pour la contempler, Marabus fit tourner sa nièce devant elle en lui tenant la main. Kayla était vraiment devenue... MAJESTUEUSE !

Trixx n'eut aucune réaction, mais Tarass rougit jusqu'aux oreilles. Remarquant la couleur de son visage, Kayla baissa la tête, gênée.

— Mais comment nous avez-vous trouvés ? interrogea Tarass. Comment êtes-vous parvenue à traverser la contrée en si peu de temps ?

Ces questions avaient permis à son visage de retrouver sa couleur normale.

— Beaucoup de choses ont changé depuis votre départ de Lagomias, lui répondit Marabus en se dirigeant vers le feu de camp des trois amis. Mais tout d'abord, j'ai vraiment besoin d'un bon thé chaud. Vous en avez ?

Tarass se précipita vers le sac de victuailles.

— Oui, bien sûr ! Et nous avons même des biscuits.

Trixx s'indigna...

— Ah oui ! Maintenant, nous pouvons manger tout ce que nous voulons. Où est passé le rationnement ?

Tarass souleva la petite théière en métal et remplit une étrange tasse orange, très légère, qu'il tendit à Marabus.

— Mais de quelle contrée provient cette pièce de vaisselle ? demanda cette dernière, curieuse. Je ne connais pas cette matière. Avec quoi a été fabriquée cette tasse, dites-moi ?

— Elle est en plastique ! lui répondit Kayla. Ce sont nos amis de la contrée oubliée qui nous l'ont donnée. D'ailleurs, ils nous ont fourni un tas de trucs indispensables pour notre périple. Une tente, de la vaisselle... UN PETIT APPAREIL CRÉANT DU FEU !

— C'est un briquet ! précisa Tarass.

— Un équipement complet de pingcam ! ajouta Trixx.

— CAMPING ! le corrigea Kayla. Camping.

— Mais ! C'est ce que j'ai dit ! rétorqua-t-il, l'air sérieux. C'est ce que j'ai dit : PINGCAM !

Kayla leva les yeux au ciel en signe de désespoir.

Les regards de Tarass, Trixx et Kayla se tournèrent ensuite vers Marabus, qui ramassa un tison et remua l'amas de branches enflammées pour raviver le feu.

— Pendant les rares jours de paix, commença-t-elle, à quoi pensez-vous que les enfants s'amusent ? Essayez de deviner.

Tarass se tourna vers Trixx et leva les épaules.

— Au graboulie !

Marabus sourit et lui répondit non par un signe de la tête.

— AUX HÉROS DE ZOOMBIRA, déclara-t-elle. La moitié des garçons se déguisent en Tarass Krikom, l'autre moitié en Bleu. Ils imitent vos gestes, portent les cheveux comme vous.

Tarass et Trixx écoutaient Marabus, amusés.

— Quant aux jeunes filles, beaucoup veulent devenir mages. Partout, des écoles de magie voient le jour.

Elle se tourna vers sa nièce.

— Tu es devenue un modèle pour les jeunes générations, Kayla...

La jeune mage rougit.

— Et c'est ainsi dans toutes les contrées que vous avez traversées.

Tarass était impatient d'en savoir plus.

— Mais comment avez-vous fait pour traverser l'atoll jusqu'à nous aussi rapidement ? demanda-t-il.

— Un peu partout sur l'atoll, il y a eu des batailles, des guerres, leur rapporta Marabus. Il y a eu de grandes victoires, mais aussi de grandes pertes. Des villages et des villes ont disparu. Le visage de l'atoll a vraiment changé depuis votre départ. Mais les gens se sont unis grâce à vous.

Marabus fit tourner son tison dans

le feu. Des étincelles jaillirent et montèrent au-dessus des flammes.

— Surtout depuis la spectaculaire avalanche qui a enseveli le gros des forces de Khonte Khan près de Moritia, ajouta-t-elle.

Marabus lança un clin d'œil à Tarass.

Elle faisait allusion aux actions éclatantes des trois héros dans la contrée de Romia. De là-bas, Tarass était parvenu à créer cette avalanche à Moritia à l'aide du cristal d'Herculanum. Il avait réussi à éliminer par cette seule action toutes les troupes de Khan postées près des montagnes. Cette victoire importante ne sauva pas que Lagomias, mais toutes les autres contrées qui auraient été prises à revers et qui auraient sans nul doute été vaincues par l'étau des forces du mal.

— Après cette avalanche, continua Marabus, il se produisit quelque chose d'extraordinaire. Spontanément, les habitants de chaque contrée ont décidé de s'unir.

Marabus se leva et pointa la direction par où elle était arrivée.

— De Lagomias à la contrée oubliée, poursuivit-elle, les murs du labyrinthe ont été démolis et un passage a été créé. Un passage qui s'ouvrira jusqu'à Drakmor en vue de la grande bataille.

Elle se pencha ensuite vers Tarass pour toucher les sifflets de Rhakasa qu'il portait à son cou. Le jeune homme regardait au loin, vers Lagomias.

— Vous avez des nouvelles de ma famille, grande mage ? lui demanda Trixx, qui avait été jusqu'ici plutôt muet.

Marabus fouilla dans son pactouille pour en ressortir une grande quantité de petits rouleaux. Il y avait un paquet pour Trixx et un autre pour Tarass.

— Bon ! fit Marabus. Il y en a beaucoup, car tout le monde voulait vous écrire.

Tarass tendit lentement la main vers Marabus en lui adressant un regard interrogateur. Avant même qu'il ait prononcé un seul mot, Marabus lui fit un signe de tête affirmatif. Les parents de Tarass lui avaient écrit aussi, bien sûr…

— Ma mère, Coraline, et mon père, Daroux Krikom…

Deux sur trois...

Heureux, Tarass et Trixx se retirèrent pour lire leur courrier, tandis que Kayla se retrouva seule avec sa tante, devant le feu. Elle regardait Tarass et Trixx. D'où elle était, elle pouvait sonder leurs pensées.

— Vous avez rempli leur cœur de joie, chère tante.

— Je sais, j'ai lu moi aussi dans leur tête...

La mine de Kayla devint soudain grave.

— Et moi, il n'y a donc personne qui m'aime ? lança-t-elle à sa tante sur un ton un peu attristé.

Marabus sourit et fouilla de nouveau dans son pactouille.

— Mais oui !

Elle en ressortit un troisième amas de petits rouleaux de papier liés ensemble par un ruban. Songeuse, Kayla plaça le paquet entre ses jambes.

— Mais dites-moi, chère tante ?

Le ton de sa voix trahissait maintenant une grande crainte.

Étant mage, Marabus pouvait très bien percevoir la vive inquiétude de sa nièce. Elle la laissa tout de même s'exprimer.

— Pourquoi êtes-vous venue à notre rencontre ? Tous mes sens de mage me disent que la raison de votre présence parmi nous est d'une extrême gravité.

Marabus regarda droit dans les yeux de Kayla. Toute sa puissance ne pouvait retenir la tristesse qu'elle éprouvait. Kayla avait vu juste.

— Une année, jour pour jour, après la dernière heure de paix, commença-t-elle, il y eut à Moritia une réunion plénière de tous les mages de Lagomias. Bien sûr, parmi eux se trouvait Amrak.

— LE GRAND MAGE AMRAK ! s'écria Kayla. Celui qui est doué du pouvoir de discernement des chemins de l'avenir. Celui qui ne se trompe... JAMAIS !

Tarass et Trixx sursautèrent. Ils jetèrent un coup d'œil à Kayla, puis replongèrent aussitôt dans leur lecture.

Marabus, elle, hocha la tête de haut en bas plusieurs fois et poursuivit.

— Il nous a parlé de la grande menace qu'était et qu'est toujours pour nous Khonte Khan. Aidé des deux sphères de Rutuf, il est parvenu à nous tracer un portrait de la destinée de tout l'atoll. Il nous a dit que rien n'était gagné, rien ! Il nous a aussi parlé de vous...

Les yeux de Kayla s'agrandirent et son visage se figea. C'est à ce moment que la jeune mage comprit que pour eux, cette aventure allait très mal se terminer, car les prévisions du mage Amrak étaient toujours de mauvais augure.

— Toute grande victoire a un prix, Kayla.

Le regard de la jeune fille se porta sur ses deux amis.

— Qui va mourir ? Nous allons tous mourir ? demanda-t-elle discrètement à sa tante.

— Non, pas tous ! Deux sur trois reviendront. C'est ce qu'Amrak a vu dans les deux sphères de Rutuf.

— Qui va mourir ? Tarass, Trixx, moi ? QUI ?

— Nous ne le savons pas...

— Mais chère tante, comment Amrak peut-il savoir une chose et en ignorer une autre ?

— Tout ce que les pierres rondes nous ont montré, c'est que lorsque le moment sera venu, l'un de vous trois mourra. Celui qui mourra sera choisi par toi, Kayla.

Kayla dévisageait sa tante en silence.

— Le choix de celui qui ne reviendra pas t'incombera très prochainement, chère nièce, poursuivit Marabus. Personne ne peut changer cette destinée...

Kayla se tourna vers Tarass qui, au même moment, regarda dans sa direction en souriant. Elle devina que pour son ami, les nouvelles étaient bonnes. Cachant avec peine sa consternation et sa douleur, elle lui renvoya son sourire.

— Deux sur trois ! répéta-t-elle tout bas.

Marabus baissa la tête, puis la releva vers le ciel.

— Qui ? supplia Kayla d'une petite voix. Qui de nous va mourir ?

Elle comprit que sa tante en savait plus qu'elle ne voulait le dire, car des mots semblaient lui brûler les lèvres.

— Qui ? réitéra-t-elle.

— Sacrifice va mourir ! dit finalement Marabus.

— Sacrifice ! souffla Kayla, abasourdie par la réponse de sa tante.

Depuis la nuit des temps, tous les Lagomiens vivaient selon le dogme des trois vertus : l'amitié, l'amour et le sacrifice. Appliquer ces principes moraux permettait de s'élever au plus haut degré de la sagesse. Selon tous les écrits, chacune de ces vertus serait représentée un jour, sur terre, sous forme humaine. Kayla comprit alors qu'elle, Tarass et Trixx incarnaient ces vertus humaines.

— Nous ! Nous sommes les trois grandes vertus ? bafouilla-t-elle.

Tarass et Trixx, heureux, s'étaient couchés sur leur paillasse d'herbage. Ils souriaient les yeux fermés. La lecture du courrier que leur avait apporté la grande mage les avait remplis de bien-être.

Parce que l'un de ses amis ou elle-même allait mourir, Kayla ne parvenait pas à ressentir le très grand honneur d'être l'une des vertus vivantes...

Elle se glissa à son tour lentement sur sa couche et tira sa couverture jusqu'à son cou. Elle n'avait aucun désir de faire la lecture des lettres qui lui étaient adressées. Marabus se leva et la rejoignit. Elle passa la main dans la belle chevelure de sa nièce, qui fixait le mur du labyrinthe, perdue dans ses pensées.

Dans la tête de Kayla, les paroles de sa tante trottaient et la poussaient à réfléchir.

« Qui, entre Tarass, Trixx et moi, est Amitié ? Qui est Amour ? ET SURTOUT, qui est Sacrifice ? Trixx étant l'ami de Tarass pratiquement depuis sa naissance, il serait logiquement Amitié. Moi, j'aime Tarass plus que tout, je serais donc Amour. Cela veut dire que Tarass serait Sacrifice ?... »

De longs sabliers s'écoulèrent avant qu'elle parvienne enfin à s'endormir, son oreiller mouillé de larmes, comme c'était si souvent arrivé depuis leur départ de Moritia...

Vont tomber les murs

La clarté diffuse du soleil commençait à pâlir le ciel sans nuages. Tarass, les deux mains placées derrière la tête, profitait des derniers grains de sable du sablier avant le début d'une autre journée monotone et sans doute interminable. Trixx, lui, s'étirait et bâillait impoliment, faisant fi de ceux qui l'entouraient. Près de lui, Kayla dormait encore, tandis que sa tante examinait un des murs du labyrinthe.

Maintenant qu'elle était parvenue au même point que sa nièce et ses deux amis, la traversée du labyrinthe serait moins facile, beaucoup moins facile, Marabus le pressentait.

Elle s'approcha du mur qu'elle observait et gratta avec son ongle le mortier entre deux pierres. Les grains de sable se collèrent au bout de son index. Ensuite, elle sortit sa langue et y posa le bout de son doigt, le visage tout à coup songeur. Tarass, qui la regardait, se leva et alla vers elle.

— Le labyrinthe est multimillénaire, mais cette section a été construite il y a à peine quelques semaines, déclara-t-il.

— Non ! Les pierres ne vieillissent pas, elles restent pierres, et donc identiques à celles utilisées lors de la construction originale. C'est le mortier qui est récent, il est encore trop tendre, il s'égraine, expliqua Marabus.

Elle gratta encore avec son ongle entre deux pierres et creusa un trou.

— Voilà pourquoi nous ne sommes pas parvenus à trouver cette foutue sortie ! en déduisit Tarass. Nous tournions en rond comme des rats attachés au bout d'une corde.

— Nous ne sommes pas encore sortis d'ici, réfléchit à voix haute Marabus. En plus d'avoir à trouver notre chemin dans ce dédale, il va falloir ausculter les murs pour dénicher ceux qui bloquent les passages. Nous ne pourrons jamais rattraper le retard.

Le visage de Tarass devint tout rouge.

— CE SALOPARD DE KHAN NE PERD RIEN POUR ATTENDRE, J'EN FAIS LA PROMESSE : NOUS ALLONS NOUS BATTRE, VAINCRE ET REMPORTER LA GUERRE ! hurla-t-il.

Il fulminait de s'être aussi bêtement fait prendre.

— Et nous allons tous ensemble revenir à Moritia ! ajouta-t-il, l'air triomphant.

Kayla se tourna machinalement vers Marabus, cherchant comment annoncer à Tarass la terrible nouvelle que sa tante lui avait confiée.

— Bleu ! s'exclama Tarass pour réveiller son ami qui s'était rendormi. Lève-toi !

— Non ! marmonna ce dernier, la tête à demi cachée sous une couverture. J'ai froid !

— BLEU ! appela Tarass avec insistance. DEBOUT !

Son ami se leva promptement en se frottant les bras.

— J'ai froid ! se plaignit-il à nouveau.

— Tu dois te transformer IMMÉDIATEMENT ! En colibri, en tourterelle, en tout ce que tu veux, mais va voler là-haut afin de voir dans quelle direction nous devons aller ! lui intima Tarass, les dents serrées. Le reste, j'en fais mon affaire.

Le visage de Trixx se crispa d'horreur.

— MAIS TU ES FOU ! s'opposa-t-il vivement. TU AS OUBLIÉ LES LAMES MORTELLES !

— Quelles lames ? s'informa Marabus.

Tarass lança en l'air son bouclier de Magalu. Lorsqu'il atteignit le haut du labyrinthe, trois lames apparurent et se brisèrent sur son arme magique.

— OUI ! QUELLES LAMES ? répéta Tarass.

Il se plaça ensuite exactement sous son bouclier qui redescendait vers le sol, puis d'une seule main, il le rattrapa adroitement. Autour d'eux tomba une pluie de lames brisées. Marabus colla son dos au mur. L'une des pièces se planta profondément dans le sol, juste à ses pieds. Kayla, elle, exécuta une roulade et parvint à en éviter une seconde. Les autres fragments tombèrent un peu partout.

Médusés, Marabus, Kayla et Trixx tournèrent leur regard vers Tarass, qui inspectait le côté de son bouclier effilé comme un rasoir.

— À toi de jouer ! dit-il à son ami. Tu n'as plus rien à craindre.

Trixx se plaça au centre du passage, ferma les yeux et baissa la tête pour se concentrer. La couleur de sa peau commençait à changer et partout sur son corps poussaient des plumes. Il se mit à rétrécir, et rétrécir. En à peine quelques grains du sablier, il avait pris la forme d'une pie toute blanche, et il s'envola vers le sommet des murs du labyrinthe.

Tarass, Kayla et Marabus, la tête levée vers le ciel, surveillaient les déplacements de Trixx. Soudain, celui-ci disparut dans le ciel pendant quelques grains du sablier, puis réapparut très vite. Il plongea ensuite vers ses amis et atterrit sur le bras de Marabus, qui caressa doucement son plumage avant de le déposer sur le sol pour qu'il puisse reprendre sa forme normale.

Debout maintenant devant Tarass, Trixx leva le bras et le plaça derrière sa tête.

— Je crois que c'est dans cette direction ! Mais le labyrinthe s'étend à des kilomètres encore.

Tarass fronça les sourcils.

— Non ! Je ne crois pas, déclara Marabus. Je sais qu'à Greccia, le labyrinthe a été stratégiquement construit près de grands lacs pour berner ceux qui oseraient s'y aventurer. Le reflet des murs et des montagnes sur la surface miroitante du lac donne l'illusion que le labyrinthe s'étend à perte de vue. Je suis persuadée que nous approchons de la sortie.

Fatiguée de ces interminables murs de pierre, Kayla espérait que sa tante voyait juste.

— ALLEZ ! NOUS PARTONS ! ordonna Tarass sur un ton plein d'espoir. Ce matin, il y a des murs qui vont tomber, et cet après-midi, je vous promets que nous serons sortis...

Tarass ne semblait aucunement fatigué. Il fonça, bouclier devant, en direction d'un septième mur. Il frappa celui-ci avec une telle violence que l'impact le réduisit en poussière.

Un épais nuage s'étendit très vite dans le labyrinthe. Marabus porta la main à sa bouche pour éviter d'en respirer. Elle était abasourdie ! C'était la première fois qu'elle voyait Tarass en action. Certes, par le biais de la pierre de chimère, elle avait pu suivre ses moindres gestes, ses exploits, mais voir agir le jeune homme de ses propres yeux fut pour elle une révélation... FRACASSANTE !

Remarquant son air éberlué, Trixx s'approcha d'elle en toussant.

— Oui, je sais, lui souffla-t-elle à l'oreille, Tarass est devenu un homme dangereux.

Il rit à gorge déployée avant de suivre Tarass dans la brèche qu'il venait de créer. Kayla passa à son tour dans l'ouverture.

— Dangereux pour ses ennemis ! précisa Marabus avant d'emboîter le pas au trio. DANGEREUX...

Tarass abattit un autre mur et, lorsque la poussière se fut dissipée, un lac entouré d'arbres apparut. Le plus long séjour entre les murs du labyrinthe venait de se terminer.

Folle de joie, Kayla courut vers le lac et s'agenouilla sur le rivage afin de boire. Marabus saisit soudain le bras de Tarass pour s'agripper à lui. Elle était prise d'un haut-le-cœur épouvantable.

— Je vous conseille de lever la tête

vers le ciel, chère mage, pour que cette sensation disparaisse, lui dit Tarass. Ça se produit chaque fois que nous sortons du labyrinthe. Les longues périodes entre les murs contrastent avec les vastes étendues et ont le même effet qu'un désagréable mal de mer.

Greccia était l'une des contrées les moins connues de l'atoll. Elle offrait un paysage très fragmenté. Dépourvue de bâtiments, elle paraissait pratiquement dépeuplée. De longues chaînes de montagnes allaient vers l'est et entouraient des terres laissées en friche.

Les yeux à demi fermés, Trixx se frottait le menton en regardant au loin. Il semblait étonné.

— Tu as remarqué, toi aussi ? demanda-t-il à Tarass.

Tarass scruta à son tour l'horizon, mais ne vit rien de suspect.

— Quoi ? Il n'y a qu'un lac et des arbres.

— Justement ! Il n'y a rien, souligna Trixx. Maintenant, il n'y a plus rien. Mais ce matin, en survolant le labyrinthe, j'ai revu ces deux grandes statues que nous avions aperçues près des lacs, peu après notre entrée dans le labyrinthe, lorsque nous avons quitté l'autre contrée...

Tarass se rappelait en effet ces deux statues colossales de soldats au regard figé et hostile. Bras croisés, elles semblaient surveiller l'accès de cette contrée et promettaient à tout intrus un accueil des plus inhospitaliers. Mais où étaient-elles maintenant ?

— Et puis, qu'est-ce que c'est que ce grondement régulier, c'est le tonnerre ?

Trixx avait tort, car il n'y avait aucun nuage dans le ciel. Devant Kayla, la surface du lac s'agita tout à coup.

— ATTENTION ! cria Marabus.

Tarass leva la tête. Un poing gigantesque, de la dimension d'un chariot, descendait vers lui pour l'écraser. Il sauta juste à temps dans l'eau du lac. Le gros poing frappa le sol violemment et s'y enfonça de presque un mètre. Un géant de bronze, de plusieurs centaines de mètres, se tenait près d'eux, l'air belliqueux.

De la forêt provenaient des bruits épouvantables de grands arbres qu'on déracine et qui tombent sur le sol. C'était un deuxième géant. Il venait lui aussi dans leur direction.

Trixx était totalement paniqué.

Dans le lac, Tarass sortit la tête de l'eau et tira Kayla vers lui juste avant qu'elle ne soit écrasée par l'immense pied de la statue.

Le pied rata sa cible et s'enfonça sous l'eau, créant une très forte vague qui emporta Tarass et Kayla loin de la rive. Le géant ouvrit ensuite sa main et la dirigea vers les deux nageurs, qui n'eurent d'autre choix que de disparaître sous l'eau.

— FAIS QUELQUE CHOSE, TRIXX ! s'écria Marabus. TRANSFORME-TOI !

— JE NE PEUX RIEN FAIRE ! IL

EST BEAUCOUP TROP TÔT POUR UNE DEUXIÈME MÉTAMORPHOSE...

Marabus sortit alors un mandala de son sac et prononça une incantation.

— KILOU-FEE-VRO !

Un immense mur protecteur s'éleva aussitôt de l'eau, séparant Tarass et Kayla du géant. La main de ce dernier heurta le mur transparent et s'arrêta. Fou de rage, il campa ses deux pieds au fond du lac et se mit à pousser le mur translucide, qui bascula et tomba sur Tarass et Kayla. Les deux amis se retrouvaient prisonniers sous les eaux.

Sur le rivage, Marabus sentit soudain un gros arbre qui la frappait. Elle fit un vol plané de plusieurs mètres avant de rouler sur le sol comme un ballon lancé par des enfants.

Complètement assommée, elle gisait maintenant inerte sur le sable. Le deuxième géant lança au loin le tronc d'arbre qu'il tenait dans sa main et souleva son pied avec la ferme intention de l'écraser comme une vulgaire fourmi.

Trixx sortit son épée bleue de son fourreau et fonça vers le géant. Tel un guépard, il bondit et parvint à planter son arme dans l'autre pied du colosse. Trois orteils se brisèrent et le géant poussa un hurlement caverneux qui fit vibrer le sol.

Au fond de l'eau, Tarass et Kayla étaient toujours emprisonnés sous le poids du mur magique créé par Marabus. De grosses bulles s'échappaient de leur bouche, indiquant qu'ils étaient sur le point de périr noyés.

Réveillée en sursaut par l'effroyable cri de douleur du géant, Marabus revint très vite à elle. À quatre pattes, comme un animal, elle parvint à se mettre en sécurité sous un arbre.

Trixx retira son épée du pied du géant et le frappa de nouveau. Son arme s'enfonça cette fois-ci dans sa cheville. La grande statue vivante se tordit et hurla encore sa douleur.

Marabus aperçut soudain l'autre géant qui cherchait Tarass et Kayla dans le lac. Les deux amis étaient donc encore au fond de l'eau. Marabus comprit qu'ils devaient avoir un urgent besoin d'air. Elle annula donc très vite le sortilège du mur devenu de toute façon inutile contre la grande force de ce monstre de bronze.

— SUM-TRA-MA !

La disparition du mur transparent créa un grand remous qui déséquilibra le géant et le fit tomber à la renverse. Non loin de lui, Tarass et Kayla sortirent enfin la tête de l'eau, respirant à pleins poumons. Marabus poussa un soupir de soulagement, même si elle savait qu'ils n'étaient pas encore sortis d'affaire.

Sur la rive, Trixx, qui était poursuivi par la première statue, dut rebrousser chemin dans les dédales du labyrinthe. Dans un élan de rage sanguinaire, le géant de bronze frappa furieusement les murs derrière le morphom. Un à un, ceux-ci s'écroulèrent et de grosses pierres volèrent dans toutes les directions. La destruction de cette partie du labyrinthe était presque totale.

Dans les eaux du lac, la magie de Kayla était complètement inutilisable. Le seul espoir d'échapper à la mort résidait maintenant dans le bouclier de Magalu. Cependant, Tarass ne s'était jamais servi de son arme magique dans une telle situation. Il n'avait combattu avec le bouclier que sur la terre ferme.

Juste au-dessus d'eux, le géant de bronze s'était relevé. Tenant son bras droit derrière sa tête horrifiante, il était prêt à asséner un coup de poing terrible, et sans doute fatal.

Dans un geste ultime, Tarass sortit d'une seule main son bouclier de l'eau et frappa de toutes ses forces la surface du lac.

Aussitôt, une grande vague apparut. La gigantesque masse d'eau déferla sur le géant et le frappa comme un raz-de-marée. La grande statue vivante se retrouva au centre du lac, complètement submergée sous des flots tumultueux.

Entre de gros bouillons, la main de la statue émergea comme si elle voulait s'accrocher aux nuages pour s'extirper de la violente agitation des eaux. Puis elle disparut à nouveau.

— LA RIVE, KAYLA ! hurla Tarass. NAGE JUSQU'À LA RIVE ! VITE !

— MAIS QU'EST-CE QUE TU VAS FAIRE ? TU ES COMPLÈTEMENT FOU ! TU N'AS AUCUNE CHANCE DE VAINCRE CE GÉANT ! protesta Kayla.

Ses paroles se perdirent dans le tumulte et Tarass plongea avec témérité sous les flots déchaînés.

— NOOOOON ! s'écria Kayla.

En nageant sur le dos, elle parvint à atteindre le rivage où sa tante l'accueillit, l'aidant à se remettre sur ses jambes.

— OÙ EST TARASS ? s'inquiéta celle-ci.

— Au fond du lac, lui répondit Kayla.

Marabus jeta un regard terrifié sur la grande étendue d'eau agitée.

— Il est... mort ?

— Non ! Enfin, je ne crois pas...

De son côté, Kayla n'apercevait Trixx nulle part.

— Là-bas ! lui montra alors Marabus en devinant sa question.

Sa tante indiquait le labyrinthe d'où s'échappait un grand nuage de poussière grise accompagné du bruit de murs qui s'écroulent.

Trixx se retrouva soudain dans un cul-de-sac. Il était pris au piège.

— AH NOOON ! s'écria-t-il alors que la main fermée de la statue venait vers lui pour l'écraser.

Le gros poing prenait toute la place entre les murs du labyrinthe, il n'y avait donc pas assez d'espace pour permettre à Trixx de s'enfuir. Soudain, il eut une idée.

— ESPÈCE DE GROS TAS DE CASSEROLES ROUILLÉES ! hurla-t-il. TU NE M'AURAS PAS...

Pour éviter d'être aplati comme une crêpe, il sauta au dernier instant très haut dans les airs et parvint à atterrir sur le gigantesque poing qui s'abattait sur lui. À genoux sur le pouce de la statue, il s'agrippa pour conserver son équilibre. Le gros poing frappa le mur avec une violence telle que Trixx dut lâcher prise. D'une manière inopinée, il se retrouva coincé entre les doigts entrouverts de la main géante.

La statue de bronze baissa la tête vers lui dans un grincement assourdissant de pièces de métal. Trixx crut distinguer sur le visage froid du colosse un léger sourire. Le géant se réjouissait parce qu'il était sur le point de l'écrabouiller entre ses doigts puissants.

Tarass finit par atteindre enfin le lit vaseux du lac. Juste au-dessus de lui, la statue s'était relevée et tentait de le saisir. Ses deux mains créaient de grands remous. Le jeune guerrier savait maintenant que cette statue maléfique allait sonder le fond du lac jusqu'à ce qu'elle l'attrape. C'était lui ou elle, il n'y avait pas d'autre issue : il devait la détruire ou... PÉRIR !

Sans savoir pourquoi, comme s'il avait déjà fait ce geste dans une autre vie, il fit tourner le bouclier devant lui très, très vite. De plus en plus vite ! Comme par magie, il se mit à avancer rapidement vers le rivage en laissant derrière lui un sillage d'écume blanche. Grâce à son bouclier, il était parvenu à atteindre la rive à la vitesse d'un cheval au galop.

Là, il put se relever. L'eau lui arrivait aux genoux à présent, mais la statue était toujours à ses trousses...

Avec l'énergie du désespoir, Trixx essaya de dégager son épée, mais elle était malheureusement coincée entre son torse et les gros doigts de la statue. C'était donc peine perdue.

Il sentait le poing du géant se refermer sur lui. Alors que tout son corps allait être écrasé, il entendit une jolie chanson...

Croyant qu'il s'agissait des chants accompagnant son arrivée au royaume des morts, il ferma les yeux et cessa toute résistance.

Mais la douce mélodie qu'il entendait provenait en fait des deux mages, Marabus et Kayla, qui conjuguaient leur puissance magique en récitant ensemble un très long sortilège.

Une grosse boule de parchemin roula ensuite sur la tête de la statue et aboutit juste devant lui. C'est alors qu'il comprit ce qui se passait.

Trixx sourit à la statue et la salua amicalement de la main pour se moquer. Il savait que c'était elle qui allait bientôt faire un petit voyage au pays des âmes.

Partout sur le corps métallique du géant apparurent des stries qui se transformèrent en profonds sillons. La tête de la statue se détacha de ses épaules et dégringola dangereusement en direction de Trixx. Avant qu'il ne soit écrasé, il sentit la main qui l'emprisonnait se détacher à son tour du poignet de la statue. Le géant de bronze tombait littéralement en morceaux.

Toujours prisonnier du gigantesque poing, Trixx heurta violemment le sol.

BLAANG !

Le poing roula longuement, percutant sur sa route les amas de pierres du labyrinthe en ruine jusqu'à ce qu'il s'arrête près de Kayla et Marabus.

— Est-ce que je vous ai déjà mentionné que j'en avais ras le bol de ce foutu labyrinthe ? finit par dire Trixx, à moitié sonné.

— NON ! s'écrièrent en chœur la tante et la nièce.

Toutes les deux parvinrent ensuite à l'extirper de sa fâcheuse position.

Debout devant elles, il se mit à frotter ses vêtements avec ses mains pour enlever la poussière.

— Quel mandala as-tu utilisé ? demanda-t-il à Kayla. Je ne connaissais pas celui que tu viens de servir à ce géant.

— C'est l'un des premiers mandalas qu'on nous enseigne à l'école des mages, lui répondit-elle. C'est le mandala Patakrak, un effrayant sortilège qui sert surtout à...

Kayla fit bouger ses doigts sous le nez de Trixx pour imiter les gestes d'une horrible sorcièreuse.

— CASSER UN ŒUF DE POULE ! acheva-t-elle de façon théâtrale. Afin de le faire cuire.

— Casser un œuf ? répéta Trixx, étonné.

Il ne comprenait pas comment les deux mages étaient parvenues à obtenir ce résultat avec la statue.

— Parce que nous avons prononcé l'incantation ensemble, nous avons multiplié l'effet de ce sortilège, expliqua Marabus.

Trixx replaça son épée bleue dans son fourreau et déclara avec une certaine arrogance :

— En tout cas, vous êtes arrivées juste à temps. Un peu plus et je réduisais cette figurine en casse-tête...

Kayla se tourna vers sa tante et fit rouler ses yeux dans ses orbites.

— Ouais, ouais ! En casse-tête, c'est cela...

Tous les trois se retournèrent simultanément lorsqu'un grand fracas retentit.

BRAOOOUUM !

— TARASS ! s'écria Kayla.

Ils coururent aussitôt en direction du lac.

La seconde statue était dressée au milieu du lac tel un dieu immense prêt à administrer le châtiment de la mort à cet intrus indésirable que semblait être Tarass.

Sans quitter des yeux le géant de bronze, Tarass frappa de toutes ses forces le sol devant lui avec son bouclier magique. L'arme s'enfonça dans la vase et créa une profonde brèche qui se transforma très vite en large crevasse au fond du lac, juste sous les pieds de la statue.

L'eau qui commençait à s'engouffrer à grands torrents entraînait le géant avec elle progressivement... et inéluctablement.

Le niveau du lac baissait rapidement et les grincements de la statue conjugués aux bruits de chute d'eau produisaient un vacarme infernal.

La grande statue tituba, puis commença lentement à disparaître dans les profondeurs de la terre. Accroché à son bouclier, Tarass s'agrippait pour ne pas être lui aussi emporté par les éléments qui se déchaînaient autour de lui. Son bouclier penchait vers les abîmes et les deux pieds du jeune homme glissaient sur le sol mou.

Soudain, semblant venir de nulle part, une corde poisseuse et très collante vint s'enrouler autour de sa taille.

Sur la rive, à l'autre bout du lien gluant, il aperçut Marabus, Kayla et Trixx qui tentaient de le tirer vers eux.

Derrière Tarass, le long bras de la statue arriva vers lui comme un grand arbre abattu. Tarass tenta de s'écarter, mais la statue parvint à attraper sa jambe. Voyant qu'elle s'engouffrait de plus en plus, elle le tira vers elle pour l'entraîner vers une mort certaine.

Dans un ultime geste de désespoir, Tarass dégagea son bouclier du sol et exécuta un grand arc au-dessus de sa tête avec son arme. Son bouclier frappa le poignet de la statue avec toute la force brutale qu'il pouvait fournir.

CRAAANK !

La main s'ouvrit et la statue poussa un dernier hurlement plaintif avant de disparaître pour toujours.

À part le bruit des derniers litres d'eau du lac qui s'écoulaient mélodieusement dans la crevasse, le silence était total. Tout était redevenu soudain calme et paisible...

Essoufflé, Tarass se leva péniblement et contempla le fond du lac d'un air ahuri. L'eau avait complètement disparu. Des dizaines de gros poissons frétillants s'agitaient dans quelques flaques d'eau ici et là.

Derrière lui, il entendit ses amis qui arrivaient en courant.

— TU N'AS RIEN ? s'enquit Kayla.

Elle l'examina des pieds à la tête.

Sous la vase qui recouvrait la presque totalité de son corps, il ne semblait pas être affligé par aucune blessure.

Trixx se frottait les deux mains.

— QUELLE BAGARRE ! lança-t-il.

— Quelle réception, plutôt ! s'exclama Marabus. Vous avez souvent été accueillis de la sorte lorsque vous arriviez dans une nouvelle contrée ?

— Non ! s'empressa de répondre Tarass.

Il arracha une longue algue verte qui s'était collée à sa jambe.

— Parfois, c'est pire, ajouta-t-il, l'air un peu ennuyé.

Marabus hocha la tête en souriant.

— OUAIS ! s'exclama Trixx. Ce dîner, nous aurons du poisson à manger avec nos foutus champignons.

Il se pourlécha les babines.

Kayla soupira devant l'insatiable appétit de son ami.

— Non mais, ce n'est pas possible ! Tu ne penses qu'à t'empiffrer, toi...

Trixx se tourna vers elle.

— Aurais-tu, par hasard, une espèce de sortilège pour créer une bonne sauce tartare ? J'ai cru voir à la sortie du labyrinthe du fenouil et d'autres herbes. Nous pourrions nous régaler, pour une fois, d'un repas sublime.

L'entrée cachée

MMMHHH !

Kayla était agenouillée près de Trixx. Le morphom était étendu sur le dos et se plaignait comme un enfant.

— TUT ! TUT ! NE BOUGE PAS ! lui intima-t-elle. TU VAS ME FAIRE RATER !

Tarass les observait d'un air sceptique.

— Tu es certaine que tu as la bonne technique pour extirper cette arête de poisson coincée dans sa gorge ? demanda-t-il à la jeune fille.

Kayla était parvenue à introduire la moitié de sa main dans la bouche de ce pauvre Trixx, qui meuglait comme un jeune veau.

— Si tu as une autre idée, tu ne te gênes pas, hein ! répondit-elle, irritée.

Soudain, elle retira sa main d'un air victorieux.

— JE L'AI ! s'écria-t-elle en tenant entre son pouce et son index une arête de plus de quatre centimètres.

En voyant Tarass grimacer d'horreur, Marabus ne put s'empêcher de sourire. À la vue de ce simple os de poisson extirpé de la gorge de son ami, le jeune et intrépide guerrier venait de perdre d'un seul coup ses airs de bravoure.

— C'est très humain d'avoir certaines faiblesses, n'est-ce pas, Tarass ? ironisa-t-elle.

Tarass se tourna vers elle, frissonnant de dégoût.

— BEURK !

Trixx s'assit. Il tenait à deux mains sa mâchoire qui, restée trop longtemps ouverte, refusait de se refermer.

— Heu hadon ! euh hais hesté hombien heu temps hom ça hoi ? prononça-t-il.

— QUOI ? firent Marabus et Tarass, qui n'avaient pas saisi un traître mot de ce que Trixx venait de dire.

Kayla, elle, avait compris.

— Combien de temps tu vas rester la bouche grande ouverte ?

Trixx hocha la tête.

— HEUX OU HROIS HABLIERS, AU FLUS ! lui répondit-elle pour l'imiter. Ça t'apprendra à vouloir manger une baleine.

Les yeux de Trixx s'agrandirent d'affolement.

— HEUX OU HROIS HABLIERS ! répéta-t-il.

— Mais non ! Elle te taquine..., le rassura Marabus.

L'un derrière l'autre, ils contournaient le lit vaseux du lac lorsque soudain, au fond de l'immense trou laissé par la disparition de l'eau, Tarass aperçut une construction constituée de colonnes de marbre à demi couvertes de plantes gluantes et d'algues.

— Un temple très ancien qui aurait été englouti ? demanda Kayla à sa tante.

Marabus étudiait attentivement la partie visible de l'étrange bâtiment.

— IL Y A AUSSI UNE ÉPAVE ! s'écria tout à coup Trixx. Elle cache peut-être un trésor formidable.

— C'est étrange ! dit Marabus à sa nièce, sans relever la remarque de Trixx. C'est généralement près des côtes, sous les vagues déchaînées de la mer, que l'on retrouve des vestiges de villes anciennes disparues sous les flots. Ici, il s'agit de quelque chose d'autre...

— Et cette épave noire échouée tout au fond ? voulut comprendre Kayla. Il n'y a pourtant pas de cours d'eau dans le secteur. Comment est-elle arrivée jusqu'ici ?

— Peut-être que le lac était relié à un fleuve autrefois, supposa Tarass, il y a de cela très longtemps.

Sans demander l'avis de ses compagnons, Marabus se dirigea vers la construction, suivie de Kayla. Tarass et Trixx leur emboîtèrent alors le pas.

Devant eux, le sol en pente raide était très instable et parfois couvert d'une substance grasse, glissante et malodorante. La situation était assez périlleuse. Si l'un d'eux perdait pied, il risquerait d'aller s'écraser sur des rochers hérissés au plus profond de la grande cavité, ou de carrément tomber dans la crevasse.

Marabus contourna l'épave pourrie et presque complètement affaissée du grand navire de bois. Il se dressait là, couché aux trois quarts sur le côté. Il ne restait qu'un seul et unique mât. Le bois du mât était gonflé d'eau et semblait très lourd. Recourbé comme un arc, il penchait dangereusement vers le sol.

Imprudent, Trixx passa la tête dans une des brèches du navire pour examiner l'intérieur. Derrière cette section basse de la coque se trouvait sans doute la cale.

— MAIS QU'EST-CE QUE TU FAIS ? l'interpella vivement Tarass. Ce débris risque de s'affaisser à tout instant.

Il tira son ami loin de l'épave.

— ET LE TRÉSOR ? s'insurgea Trixx.

— Qu'est-ce qui te fait penser que ce navire recèle un coffre au trésor ? Ce n'est qu'une épave. S'il y avait eu un quelconque trésor caché à l'intérieur, des pilleurs l'auraient sans doute trouvé depuis longtemps.

— Et puis, même si tu avais raison, renchérit Kayla, comment ferais-tu pour le traîner avec toi ? Tu t'imagines transporter un gros coffre rempli de pièces et de pierreries ? C'est complètement idiot...

— Tu oublies que je peux prendre l'apparence d'un animal, lui rappela Trixx. Je pourrais me transformer en éléphant, en chameau pour traverser les déserts...

— NOOON ! s'impatienta Tarass. Ce n'est pas le but de ce périple, Bleu.

Kayla se pencha vers Trixx.

— T'en fais pas, lorsque nous serons revenus à Moritia, tu n'auras qu'à te métamorphoser en trésor et nous deviendrons tous riches.

— Très drôle, répondit Trixx, la mine renfrognée.

Marabus étudiait attentivement l'édifice. Les quatre colonnes de marbre rose décorées de sculptures étaient bien droites et en parfait état. Elles soutenaient une voûte rocheuse qui protégeait l'ensemble. L'unique porte de métal ne portait aucune trace de rouille malgré le long séjour sous l'eau. En outre, elle ne possédait ni gonds ni poignée. La grande mage en déduisit qu'un mécanisme d'ouverture était dissimulé entre les murs. Il suffisait de trouver comment l'activer.

Tarass avait aussi noté l'absence de quincaillerie sur la porte. Après avoir vainement tenté de la pousser, il regarda Marabus en haussant les épaules.

— Qu'est-ce que c'est que cet édifice ? Et comment peut-on ouvrir cette porte ? questionna-t-il.

— Ce n'est pas un édifice, lui annonça Marabus, c'est seulement l'entrée de quelque chose d'autre, quelque chose de plus important. C'est ce que je pense.

— Moi, je crois qu'il faut prononcer une parole magique pour que la porte s'ouvre, supposa Kayla.

— Non, chère nièce, je crois que cette entrée a été construite sous l'eau pour qu'elle soit impossible à trouver. Rappelle-toi qu'elle était submergée tantôt, et personne ne peut parler sous l'eau. Alors, il faut faire autre chose pour l'ouvrir.

— Mais qu'est-ce qui vous dit que cette entrée a toujours été sous l'eau, ô grande mage ? demanda Tarass. Peut-être qu'avant le grand cataclysme de la rencontre des cinq continents, cette entrée était située sur la terre ferme, et non au fond d'un lac.

— Je ne crois pas, Tarass, rétorqua Marabus.

— Mais ma tante, c'est très possible...

Marabus s'approcha et pointa le sol devant la porte.

— Vous avez remarqué qu'il n'y avait pas d'escalier. Il n'y a pas une seule marche devant cette porte.

Kayla et Tarass s'approchèrent.

— Ceux qui utilisaient cette entrée l'atteignaient à la nage, cela ne fait aucun doute pour moi.

N'apercevant pas Trixx près de lui, ni à sa droite ni à sa gauche, Tarass se retourna vivement. Son ami n'était nulle part.

— MAIS OÙ EST PARTI CET IDIOT ? s'écria-t-il.

— Il est entré dans l'épave ! s'exclama soudain Kayla. Je vois ses traces de pas...

L'épave

Malgré l'interdiction de son ami Tarass, Trixx s'était manifestement introduit dans la carcasse déglinguée et dangereuse de l'épave.

Tarass poussa un long soupir de mécontentement et serra les deux poings.

— Je vais aller le chercher ! Restez ici et essayez d'ouvrir cette porte. Ce passage sous l'eau cache quelque chose d'important, je le sens. Je reviens !

Marabus et Kayla se mirent toutes les deux à examiner l'entrée dans ses moindres détails. Lorsque Kayla étira le cou et leva la tête en direction de la corniche au-dessus de la porte, elle s'écria :

— CHÈRE TANTE ! Regardez !

Marabus leva les yeux et aperçut un bas-relief à l'effigie de la méduse...

Tarass passa la tête prudemment dans le trou de la coque pour regarder à l'intérieur de l'épave. Tout de suite, une très désagréable combinaison d'odeurs agressa ses narines.

— POUAH ! Ça me rappelle le ragoût de mouton qu'on nous servait à l'école.

Bien que baignant dans une pénombre lugubre, la cale du navire bénéficiait à quelques endroits des rayons du soleil qui filtraient d'entre les planches disjointes du pont supérieur.

De longues algues pendouillaient des écoutilles et il y avait des caisses de bois renversées partout. Certaines s'étaient brisées lors du naufrage et laissaient voir leur contenu. Tarass remarqua de jolies poteries ornées de dragons fantastiques comme celles qu'il avait vues dans le château de l'empereur du Japondo. Dans une autre caisse, il aperçut des bouteilles de vin dont plusieurs étaient brisées.

Tout à coup, un bruit de chaîne retentit à l'avant du navire.

CLAC ! CLAC ! CLAC !

D'un prodigieux bond arrière, Tarass se retrouva en sécurité à trois mètres de la coque lorsqu'un autre bruit se fit entendre.

SBLOOOUUURB !

L'immense ancre rouillée du navire venait de tomber sur le sol.

Même s'il faisait de plus en plus froid, Tarass avait chaud. Il essuya son front en sueur avec le revers de sa main.

Alertées par le vacarme, Marabus et Kayla regardèrent dans sa direction.

— TOUT VA BIEN ? lui demanda Kayla, les deux mains placées de chaque côté de sa bouche.

Tarass lui fit un signe de la main pour dire que tout allait bien.

Le corps de Kayla fut soudain traversé par un horrible frisson.

— Mais pourquoi fait-il aussi froid tout à coup ? s'étonna-t-elle. Tantôt il faisait un temps génial et maintenant, on gèle...

Se tournant vers sa tante, elle vit que celle-ci fixait Tarass au loin d'un air préoccupé.

— Ne vous en faites pas, chère tante, la rassura Kayla. C'est toujours comme ça avec ces deux-là. On ne sait jamais ce qu'ils manigancent. Je ne peux jamais les laisser seuls. Ce sont de vrais gamins turbulents.

Kayla retint un autre frisson. Elle avait soudainement encore plus froid.

— Si Trixx ne périt pas écrasé par ce débris d'une autre époque, c'est moi qui vais l'étriper, ragea Tarass. De toute façon, son compte est bon.

Le jeune homme s'avança une seconde fois vers la brèche.

— Ça ne me dit rien qui vaille, déclara-t-il. Cette carcasse est dans un état de décrépitude avancé, elle risque de s'effondrer à tout instant.

Il ne voyait son ami nulle part.

— BLEU ! BLEU ! OÙ ES-TU ?

Un bruit de pas résonna du faux pont, puis soudain, juste au-dessus de lui, la tête souriante de son ami apparut dans une écoutille.

— QU'EST-CE QUE TU FAIS ? hurla Tarass, furieux.

— Tu avais raison, Tarass, lui accorda Trixx. Il n'y a pas un coffre au trésor… MAIS PLUTÔT TROIS !

Trixx lui montra ses deux mains pleines de chaînes en or, de pièces d'argent et de pierreries. À son cou pendait un long collier fait de gros maillons en or.

— NOUS SOMMES RICHES ! NOUS SOMMES RICHES ! s'écria Trixx en brandissant les objets précieux. Tu dois absolument m'aider à sortir les coffres.

Tarass pénétra dans la cale.

— Non, Trixx ! dit-il tout en essayant de retrouver son calme. NON !

— Pourquoi non ? demanda son ami en jetant des regards avides aux objets précieux qu'il tenait dans ses mains. POURQUOI ?

— Nous ne pouvons risquer d'être la cible d'une horde de bandits... Parce que c'est ce genre de mésaventure que risquent de nous attirer tes babioles criardes. Tu t'imagines, nous ne pourrions plus dormir en paix. Et puis, à quoi te serviront-elles si nous ne parvenons pas à vaincre Khan ?

Trixx inspira profondément.

— Tu as souvent raison, Tarass, mais là, je crois que tu te trompes. Ces babioles, comme tu dis, pourraient nous aider à acheter les faveurs de certains ograkks influents auprès de Khonte Khan. Il l'a bien fait avec des gens très haut placés au sein de l'administration de notre contrée ! Ces ograkks sont des êtres sans scrupules et sans honneur, ils pourraient nous servir.

— Peut-être, mais moi, j'ai des scrupules, et je tiens à mon honneur. Il n'est pas question que je m'abaisse au niveau de cet être immonde qu'est Khan. Si nous gagnons la guerre, nous la gagnerons honnêtement, avec courage. Je ne veux pas me battre comme un chien enragé sans dignité...

Trixx ouvrit lentement les doigts et laissa tomber les pièces de monnaie, les pierreries et les colliers. Sa tête disparut ensuite de l'écoutille et il réapparut dans l'escalier. Il portait toujours au cou la grosse chaîne en or qu'il avait trouvée.

Tarass posa ses deux poings sur ses hanches.

— Juste un petit souvenir, tout petit, supplia Trixx.

Tarass demeura silencieux et bougea la tête de gauche à droite de façon autoritaire.

— Tu es certain ? Parce que moi, je crois qu'il pourrait nous être très utile, ce trésor, réitéra Trixx d'une petite voix.

Tarass ne broncha pas.

Trixx poussa ensuite un long soupir et se pencha vers l'avant. Le magnifique collier glissa sur sa nuque et tomba sur les planches pourries.

Alors qu'ils s'apprêtaient tous les deux à sortir de l'épave, un grondement assourdissant fit vibrer tout le navire, qui commença à s'aplatir dangereusement.

BRRRRRRRRR !

— TOUT VA S'ÉCROULER ! hurla Tarass, affolé.

Il se jeta vers son ami Trixx et empoigna son bras...

— VITE ! IL FAUT SORTIR D'ICI !

Les longues poutres soutenant le faux pont s'écrasaient par section autour d'eux. Tarass zigzaguait entre les structures qui s'écroulaient en traînant son ami Trixx derrière lui.

La brèche par laquelle ils s'étaient introduits dans le navire était maintenant bloquée par un amas de cordages et de planches.

Tarass poussa Trixx juste comme l'escalier de l'écoutille principale s'écroulait.

BRAAOOUMM !

La coque du navire penchait de plus en plus vers le sol lorsque soudain, Trixx aperçut une sortie située au-dessus de leur tête et donnant sur le pont supérieur.

Les deux amis soulevèrent une poutre, l'appuyèrent à la coque et l'escaladèrent pour atteindre le pont du navire. Là, un lourd canon se détacha de ses amarres et arriva dangereusement vers eux. Trixx voulut s'écarter de la trajectoire de la grosse pièce d'artillerie, mais les planches du pont recouvertes d'algues gluantes étaient trop glissantes. Il patina sur place pendant que le canon se dirigeait implacablement sur lui. Tarass fonça vers son ami et le renversa pour l'écarter. Le canon passa tout près d'eux, détruisant une grande section de la coque.

Tarass se releva et put enfin sauter en bas du pont pour quitter l'épave. Ses deux pieds heurtèrent le sol si violemment qu'il dut effectuer une roulade pour amortir sa chute.

Trixx se jeta à son tour par-dessus bord. Très adroit, il atterrit sur ses deux jambes sans tomber.

Sous leur regard hébété, la coque du navire tangua longuement avant de complètement s'affaisser, dans un fracas épouvantable.

BRAAAOOOUUUMMM !

Marabus et Kayla accoururent aussitôt.

— VOUS N'AVEZ RIEN ? s'inquiéta Kayla.

Elle aida Tarass à se relever.

— Non ! Je n'ai rien.

Il jeta un regard furieux en direction de Trixx.

— Moi non plus, je n'ai rien ! répondit celui-ci. Je n'ai rien conservé du trésor magnifique que j'ai trouvé... RIEN ! Car il y en avait bel et bien un, inestimable...

Ne voulant plus entendre parler de ce trésor pour lequel il avait failli perdre la vie, Tarass se tourna vers Marabus.

— Et cette porte ? lui demanda-t-il. Êtes-vous parvenues à résoudre son mystère ?

— Peut-être ! lui répondit la grande mage. Venez voir...

8

Le sakrilège de Sibérius

Devant la grande porte de l'entrée secrète, Tarass et Trixx écoutaient attentivement les explications de Marabus.

— Elle ne porte pas de gonds ni de poignée. Il n'y a que ces quatre colonnes à l'avant, ornées chacune de bas-reliefs différents.

Tarass les examina.

— Il y a aussi ça ! ajouta Kayla.

Elle pointa avec son index la voûte juste au-dessus de la porte.

Tarass s'approcha et leva la tête.

— LA MÉDUSE ! remarqua-t-il.

N'est-ce pas cette tête terrifiante que nous avons vue dans le labyrinthe ?

— C'est la même ! confirma Kayla.

Tarass s'approcha d'une colonne. Lorsqu'il y appuya sa main droite pour réfléchir, elle tourna légèrement sur son socle.

BRRRR !

Il s'écarta, étonné.

Marabus, Kayla et Trixx s'avancèrent près de lui.

Tarass posa ses deux mains sur la colonne et la fit tourner complètement.

Kayla s'élança vers la deuxième colonne et la fit tourner aussi. Marabus et Trixx parvinrent à faire tourner les deux dernières. La porte demeura cependant fermée.

Chacun des compagnons se mit à examiner les signes sculptés sur la colonne située en face de lui.

— Je crois qu'il faut faire tourner les quatre colonnes jusqu'à ce que la porte s'ouvre, déclara Tarass.

— Il y a sept serpents sur ma colonne ! rapporta Marabus.

— Sur la mienne, il n'y a que quatre sculptures en bas-relief, remarqua Trixx.

Ce dernier tremblait, car il avait froid.

— Ce sont les quatre éléments, poursuivit-il, la terre, l'eau, l'air et le feu.

Kayla fit rapidement le tour de la colonne devant elle.

— Moi, je ne distingue que des lettres, ou plutôt des mots. Je ne connais pas cette langue.

Marabus s'approcha.

— C'est du grec ! lui apprit-elle. Ce sont les chiffres de un à dix : èna, dhio, tria, tèssèra, pèndé, èksi, èfta, okto, ènéa, et finalement dhèka...

Elle se tourna ensuite vers Tarass.

— Nous ne pouvons pas tourner les colonnes pour essayer toutes les combinaisons, car il y en a des centaines, des milliers même; il nous faut trouver la bonne si nous voulons ouvrir la porte.

Tarass ne réagissait pas. Il semblait figé devant la colonne face à lui.

— Est-ce que tu as compris, Tarass ? questionna Trixx. On ne pourra jamais l'ouvrir sans la bonne combinaison.

Mais son ami demeurait muet comme une carpe.

Kayla et Trixx échangèrent un regard perplexe.

— Qu'est-ce qu'il y a sur ta colonne, Tarass ? demanda enfin Trixx. De gros monstres qui te font très peur ?

— Non !

Tarass semblait bouleversé.

De longs grains du sablier passèrent avant qu'il lui réponde :

— Sur cette colonne, il y a nos portraits, nos trois visages. Comment est-ce possible ?

Marabus, Kayla et Trixx se lancèrent à ses côtés. Sur la colonne devant Tarass, il y avait effectivement trois têtes sculptées à leur effigie.

— REGARDEZ ! Ici, il y a Kayla, leur montra-t-il.

Tous les trois étirèrent leur cou pour mieux voir.

— Ici, il y a Trixx, dit Kayla, stupéfaite.

Trixx fit rapidement le tour de la colonne pour contempler son portrait.

— MAIS C'EST BIEN MOI ! s'exclama-t-il, ahuri.

— Et moi, Tarass, je suis là !

Les trois amis reculèrent d'un pas, abasourdis par cette découverte. C'était comme s'ils se regardaient dans un miroir.

— Vous croyez qu'il s'agit d'une simple coïncidence, ô grande mage ? demanda Tarass.

Songeuse, Marabus contourna la colonne tout en évitant de la toucher.

— S'il n'y avait qu'un seul de vous représenté sur cette colonne, peut-être pourrais-je parler d'une coïncidence. Mais il y a vos trois visages, tu y as pensé... C'est plus qu'une coïncidence, c'est autre chose...

Marabus s'enfonça dans une profonde réflexion.

Trixx tendit soudain sa main droite ouverte vers le ciel qui venait de se couvrir de gros nuages gris.

Curieux, Tarass l'observait.

Une petite particule blanche tomba lentement vers lui. Lorsqu'elle atteignit le creux de sa main, elle fondit aussitôt.

Trixx se tourna vers son ami tout aussi éberlué que lui.

— DE LA NEIGE ! s'écrièrent-ils en chœur. DE LA NEIGE !

Marabus sortit de sa torpeur.

D'autres flocons, beaucoup plus gros et visibles maintenant, tombaient du ciel. Kayla écarta ses bras pour en attraper.

— Mais c'est impossible ! s'exclama-t-elle. Depuis que les continents se sont regroupés en un seul, il n'y a de la neige qu'au sommet des plus hautes montagnes.

Marabus se souvint tout à coup des plaintes matinales de Trixx : il disait qu'il avait froid, très froid. Et Kayla avait eu la même sensation un peu plus tôt. Ce n'était pas normal.

Elle sortit alors de son pactouille un chiffon dans lequel était cachée une pierre bleue translucide. Lorsqu'elle la porta au bout de son bras, au-dessus de sa tête, la pierre perdit sa couleur et devint toute transparente.

Tout de suite, elle baissa son bras et regarda autour d'elle d'un air angoissé. Kayla comprit ce qui se passait. Elle se mit elle aussi à examiner les environs.

Tarass fit tourner lentement son bouclier devant lui et colla son épaule à celle de Kayla.

— Qu'est-ce qui se passe ? lui souffla-t-il dans l'oreille.

— Est-ce que tu entends ce ronronnement ?

Tarass tentait de le capter en tendant l'oreille.

— Non !

— Tout le secteur est sous l'emprise d'un sokrilège ! lui dit Kayla.

— Mais pourquoi croyez-vous cela ?

— Ce bruit bizarre ! Et la neige, le froid, ce n'est pas normal.

Silencieuse, Marabus ferma les yeux et se mit à avancer, sa main droite toute grande ouverte devant elle.

Trixx voulait lui aussi comprendre.

— Mais qu...

— Chut ! lui lança Kayla.

Marabus continuait d'avancer. Elle escalada la cavité évidée du lac et se rendit jusqu'à un petit bois isolé. Elle s'arrêta net devant un bâton planté dans le sol et au bout duquel trônait un crâne de cristal brillant. Elle rouvrit les yeux et sursauta.

— Je le savais ! dit-elle soudain. Une antenne sensorielle émettrice.

Un halo vert lumineux émanait du crâne de façon sporadique. Marabus recula encore.

— TENEZ-VOUS LOIN ! conseilla-t-elle à ses compagnons. Sinon, il vous en coûtera.

— Mais qu'est-ce que c'est ? demanda Tarass, hypnotisé par la chose. Nous avons trouvé la tombe d'un guerrier ou quoi ?

— Non ! C'est une autre invention diabolique de cet infâme Khonte Khan, lui expliqua Marabus. Ces objets de magie simple servaient autrefois aux agriculteurs de certaines régions arides. Ils utilisaient ces bâtons pour améliorer les conditions climatiques et attirer la pluie lors des grandes sécheresses. Khan les a transformés en antennes capables de transporter au loin ses sokrilèges. Je ne veux pas faire de jeux de mots stupides, mais ce monstre va tout faire pour nous mettre des bâtons dans les roues… TOUT ! C'est à cause de cette chose qu'il fait si froid. Ce bâton transporte un sokrilège de Sibérius. Il peut à lui seul transformer ces verts pâturages en une terre couverte de neige et de glace. Il faut neutraliser ce maléfice coûte que coûte, sinon nous allons périr gelés. ALLEZ CHERCHER DE LA BOUE ! cria-t-elle. VITE !

Tarass s'éloigna de la grande mage quelques instants, puis revint avec un tas de boue entre ses mains. Sur les indications de Marabus, il s'approcha pour déposer l'amas de terre et d'eau sur le crâne de cristal. Il lui fallait à tout prix éviter de toucher l'objet maléfique, car tout son corps se retrouverait aussitôt complètement gelé.

Plus Tarass s'approchait du crâne, plus il ressentait un grand froid. Le bout de ses doigts commençait à geler, ensuite ses mains. Instinctivement, il voulait s'en écarter, mais son sens du devoir était beaucoup plus fort que tout. Il ouvrit ses deux mains et le tas de boue glissa entre ses doigts pour aller se figer sur le sommet du crâne.

Ce fut alors au tour de Marabus d'agir.

Elle saupoudra une poudre orangée sur le crâne, puis elle s'en éloigna et prononça une incantation.

— MOGRA-DERÉ-OURTOU !

Aussitôt, le halo vert lumineux qui émanait du crâne s'affaiblit, puis cessa complètement. Marabus avait réussi à le neutraliser.

Tarass ne remarqua cependant pas un changement notable de la température.

— Il fait toujours aussi froid, ô grande mage. Êtes-vous certaine d'être parvenue à annuler le sokrilège ?

Marabus fit un tour complet sur elle-même pour examiner les alentours.

— Non ! répondit-elle. Je n'ai que neutralisé ce bâton-ci, mais il y en a d'autres, beaucoup d'autres.

Le regard de Kayla devint très sérieux.

— Khan veut transformer le climat de cette contrée en climat polaire...

Marabus hocha la tête de façon affirmative. Une très grande désolation pouvait se lire sur son visage.

— C'est le triste sort qu'a réservé cet ignoble Khan à cette contrée. Une longue et interminable période glaciaire. Rien ne survivra.

Tarass s'approcha de Marabus.

— Croyez-vous qu'il soit possible d'empêcher tout cela ?

— Nous ne savons malheureusement pas combien il y a de crânes dans cette contrée, ni où ils ont été cachés. Le temps que nous les trouvions tous, Greccia entrera certainement dans une grande période glaciaire et nous périrons avec tous les habitants.

Kayla arbora un air sombre. Elle était complètement abattue.

— Nous... nous ne pouvons rien faire pour eux ? bafouilla-t-elle en s'approchant de sa tante.

Marabus ne voulut pas lui répondre.

— NOUS N'ALLONS PAS LAISSER MOURIR TOUS CES GENS ! s'emporta Tarass.

— Nous ne pouvons pas faire évacuer les centaines de milliers d'habitants de cette contrée, Tarass ! Ils se perdraient dans le dédale du labyrinthe et ils mourraient de toute façon.

Tarass prit une grande inspiration pour se calmer.

— Marabus ! Vous avez dit que ce crâne n'était qu'une espèce d'antenne qui faisait la réception et l'émission d'un sokrilège ?

Marabus se contenta de hocher la tête. Elle désirait voir où Tarass voulait en venir.

Tarass s'approcha du crâne.

— Vous avez aussi dit qu'il y en

avait des tas d'autres comme celui-là, parce que leur portée magique était plutôt courte.

Marabus acquiesça de nouveau.

— Alors, je ne sais si dans cette contrée deux et deux font quatre ou, si vous préférez, dhio et dhio font tèssèra, mais il doit y avoir, dans un endroit bien caché et presque impossible à atteindre, un émetteur ou une antenne principale. Un crâne comme celui-ci...

Tarass pointa avec son bouclier le crâne couvert de boue.

— Mais beaucoup plus gros ! MÊME ÉNORME !

Marabus souriait, donnant entièrement raison au jeune guerrier.

— Alors, songea tout à coup Kayla, nous n'avons qu'un seul crâne à trouver ?

— Oui, c'est merveilleux, s'exclama Trixx, emporté dans un élan d'euphorie. Mais où le chercher ?

Il écarta ses deux bras et tourna sur lui-même.

— Greccia est une très grande contrée, vous savez. Regardez cette chaîne de montagnes. Il nous attend peut-être là-haut, nous n'en avons aucune idée !

— Mais non ! dit Tarass. Khan a certainement caché cet objet diabolique dans un endroit retiré. Et cet endroit doit être protégé par une créature démentielle qu'aucun homme sain d'esprit ne voudrait combattre...

— Je vois tout à fait le genre ! s'exclama Kayla, le regard brillant.

Elle se tourna vers le lac en même temps que sa tante.

— Nous savons en quel lieu il se trouve ! annonça Marabus d'un air grave.

L'énigme de la porte

Marabus auscultait méticuleusement la porte avec son instrument grossissant. À travers la lentille, elle ne remarqua aucun signe. Le métal de la porte ne portait pas non plus la moindre égratignure. Jamais elle n'avait vu auparavant cette sorte de métal qui lui semblait indestructible. La solidité de la porte lui confirma la présence d'un objet d'une grande valeur. S'agissait-il cependant du transmetteur principal du sokrilège de Sibérius ? Elle l'espérait…

Tarass et ses amis étudiaient attentivement chaque détail sur les colonnes. Il leur fallait à tout prix trouver la bonne combinaison afin d'ouvrir la porte.

Kayla souffla dans ses mains pour

réchauffer ses doigts, car elle avait terriblement froid. Malgré la neutralisation d'une première antenne sensorielle émettrice, la température avait continué de chuter dramatiquement. Il fallait faire vite.

Autour d'eux, la chute de neige s'intensifiait et les flocons s'accumulaient dangereusement au sol. Les hurlements d'une meute de loups firent soudain frémir Trixx de peur.

— Il faut se grouiller et trouver une façon d'entrer pour se mettre à l'abri.

Bredouille, Marabus laissa tomber ses deux bras de chaque côté de son corps.

— Rien à faire ! déclara-t-elle. Je ne vois rien… ABSOLUMENT RIEN !

Tarass s'approcha d'elle, brandissant son bouclier magique en direction de la porte.

— Je vais l'enfoncer !

Elle plaça son bras devant lui pour le retenir.

— Ce métal est plus dur qu'un diamant. Tu risquerais de briser ta précieuse arme.

Tarass jeta un regard de feu vers la porte.

— Il faut juste espérer que les sabres, les armures et les boucliers des ograkks de Khan ne soient pas fabriqués avec le même matériau, souffla-t-il.

Soudain, Kayla s'écria :

— METTEZ-VOUS TOUS LES TROIS DEVANT UNE COLONNE ! Je crois avoir trouvé…

Elle venait de remarquer un petit monticule placé précisément au centre des quatre colonnes, aligné directement avec la porte.

Tous s'exécutèrent très vite. Les deux mains collées au long pilier de marbre, ils attendaient les instructions de la jeune mage.

— Chère tante, vous êtes placée devant la colonne aux serpents ?

— Oui ! répondit celle-ci.

— Tournez-la pour que le serpent numéro huit puisse faire face à la porte.

— Mais comment puis-je savoir quel est le huitième ? Ils ne sont pas numérotés.

— Par la forme du serpent, chère tante, lui dit Kayla. Chaque serpent a la forme d'un chiffre. Trouvez celui qui représente le chiffre huit.

Marabus fit tourner la colonne d'un demi-tour et s'arrêta net lorsqu'elle aperçut le serpent aux formes sinueuses rappelant les deux cercles du chiffre huit. Elle le positionna ensuite en direction de la porte. Au même instant, un bruit provenant des profondeurs du sol se fit entendre. Cependant, la porte ne bougea pas d'un centimètre.

— Il faut continuer ! lança Kayla, fière d'avoir trouvé.

— Mais comment as-tu fait pour deviner ? lui demanda Tarass.

— Dans l'ancienne mythologie de Greccia, le serpent était synonyme de chaos. Placé sous la forme du signe de l'infini, il était l'annonciateur du chaos éternel…

— C'est le but que veut atteindre Khan ! s'exclama Marabus. BIEN JOUÉ, KAYLA !

— À TON TOUR, TARASS ! s'écria Kayla.

Tarass reprit sa position devant la colonne sur laquelle étaient sculptés les quatre éléments.

— Tourne la colonne pour que le feu,

qui représente les flammes éternelles, se retrouve face à la porte, lui demanda son amie.

Tarass tourna la colonne avec facilité. Une fois le bas-relief du feu dirigé vers la porte, un deuxième grondement résonna, mais la porte demeura fermée.

Kayla se tourna ensuite vers Trixx.

— BLEU ! À toi de jouer.

Il se raidit sur ses jambes et fixa la colonne devant lui, celle qui portait les chiffres en grec.

— Tu vas tourner trois fois la colonne pour aligner à trois reprises le...

Trixx pencha la tête vers Kayla.

— TROIS FOIS ! s'étonna-t-il. Pourquoi trois fois ? Et pourquoi le surplus de travail me revient-il toujours ?

— Parce que tu n'es qu'un éternel pleurnichard ! lui répondit son ami Tarass. Fais ce qu'elle te demande.

Il saisit à deux mains la colonne.

— Ensuite ?

— Je répète ! Tourne la colonne pour que le chiffre six apparaisse trois fois devant la porte. Le nombre 666 est en fait celui de la bête de l'Apocalypse.

Trixx fit tourner la colonne plusieurs fois, mais ne trouva pas de six.

— Mais lequel est-ce ? Je ne reconnais pas tous ces signes bizarres !

— Il est vrai que tu n'étais pas très doué à l'école, se moqua Tarass.

— TOI, TAIS-TOI, POILS DE CAROTTE ! VA TE PLANTER LA TÊTE DANS UN JARDIN ET ATTENDS LA PLUIE ! répliqua Trixx, vexé.

Kayla s'approcha de lui.

— Le six, c'est celui-ci ! lui dit-elle en lui montrant le signe *έξι*.

Elle retourna ensuite à sa place.

Trixx tourna la colonne et arrêta le six devant la porte une fois, puis une deuxième fois, et enfin une troisième fois. Le grondement dans le sol résonna à nouveau.

Il ne restait qu'à tourner correctement la quatrième et dernière colonne.

De longs grains du sablier s'écoulèrent. Kayla demeurait toujours immobile devant la dernière colonne à diriger vers la porte.

— Kayla ! souffla Marabus, sans obtenir de réponse.

Impatiente, elle rejoignit sa nièce. Tarass et Trixx voulaient eux aussi savoir pourquoi Kayla demeurait figée. La jeune fille leva brusquement la main dans leur direction pour les arrêter.

— NON ! hurla-t-elle.

Tous les trois sursautèrent.

Elle tourna la tête vers Tarass et le regarda directement dans les yeux.

— Place-toi avec Trixx devant l'entrée, on ne sait jamais ce qui peut sortir de derrière cette porte.

— Elle a raison, lui accorda Tarass.

Trixx dégaina son épée et suivit son ami pour se positionner. Mieux valait prévoir le pire…

— Qu'est-ce qui te fait croire que quelque chose se cache derrière cette porte? lui demanda sa tante.

— Rien ! lui répondit Kayla. J'ai utilisé ce subterfuge pour les éloigner.

Elle avait toujours les yeux rivés sur la colonne.

— Pourquoi ?

Kayla demeura muette.

Marabus observa sa nièce : elle semblait maintenant très énervée et elle tremblait. La grande mage tourna alors la tête pour examiner les visages sur la colonne. Sous chacun d'eux, il y avait deux mots grecs connus de tout mage : *άψυχος* et *διαλογή* , qui signifiaient mort et choix…

Kayla se tourna lentement vers sa tante.

— C'est ici que je dois choisir qui va mourir, n'est-ce pas ?

Marabus remua la tête lentement de haut en bas. Une larme solitaire coula sur la joue de la jeune mage…

La mort en est jetée

L'épée entre ses deux mains, la pointe mortelle dressée en direction de la porte, Trixx commençait à être vraiment agacé par cette attente qui n'en finissait plus.

— Mais qu'est-ce qu'elles font ? C'est très long. Quand est-ce qu'elle va la tourner, sa foutue colonne ?

— Calme-toi ! lui commanda Tarass. C'est toujours très délicat, ce genre de situation, tu sais.

Il se tourna ensuite vers Kayla.

— ALORS ! ÇA VIENT ?

Marabus montra son index à Tarass.

— Tiens-toi prêt !

Il pointa alors son bouclier vers la porte.

— C'est ici que tu dois décider, Kayla, dit Marabus.

La jeune mage se retourna vivement vers sa tante.

— C'est ici que je dois choisir ? C'est ici que l'un de nous trois va mourir ? chuchota-t-elle, la voix tremblante.

— Non ! Rappelle-toi ce que les pierres rondes d'Amrak nous ont dévoilé : celui dont le sacrifice servira à ouvrir cette porte ne reviendra pas de votre périple, ce qui signifie que vous devez aller jusqu'au bout, jusqu'à Drakmor, avant que sa mort ne survienne.

Kayla posa sa main sur l'image de Tarass, puis se mit à faire tourner la colonne devant elle. Les images de son visage, de celui de Tarass et de celui de Trixx défilèrent jusqu'à ce qu'elle ait arrêté son choix sur son visage à elle…

Avant que résonne une quatrième fois le grondement, elle baissa la tête pour cacher ses sanglots.

— Chère tante, soupira-t-elle, je veux que vous fassiez quelque chose pour moi. Lorsque nous atteindrons Drakmor, lorsque tout sera terminé, tu diras à Tarass que…

— Que tu l'aimais ? acheva Marabus.

Kayla hocha légèrement la tête en signe d'assentiment.

Le sol se mit enfin à gronder, plus longtemps…

Le blâme de Trixx

Tarass et Trixx portaient toute leur attention sur la porte qui, selon les deux mages, allait s'ouvrir lorsque les quatre colonnes seraient alignées correctement.

Le temps passa, mais rien ne se produisit, à leur grand mécontentement. Tarass fit alors un signe de tête à son ami Trixx et ils quittèrent leur position pour aller retrouver Kayla et Marabus, restées près de la colonne.

— Tu sais, Kayla, commença Marabus alors que Tarass et Trixx arrivaient en courant.

Elle s'arrêta en les apercevant…

— Alors ? interrogea Tarass. Qu'est-ce qui s'est passé ? Ça n'a pas fonctionné.

— La porte de métal est toujours fermée ! se plaignit Trixx.

Kayla essuya discrètement ses yeux et se tourna vers eux, sans toutefois lever la tête. Tarass se douta que quelque chose venait de se produire, quelque chose de grave !

— Qu'est-ce qui se passe, Kayla? lui demanda-t-il doucement.

— Rien ! lui répondit la jeune mage. Ce n'est rien ! J'ai reçu du sable dans les yeux lorsque j'ai fait tourner la colonne.

Tarass regarda ensuite Marabus.

— C'est vrai ! J'ai moi-même reçu des petits cailloux sur la tête, confirma celle-ci en secouant ses cheveux comme pour les débarrasser de saletés.

Tarass savait tout au fond de lui que les deux mages lui mentaient honteusement.

— Excusez-moi, les interrompit Trixx, mais est-ce qu'il vous serait possible de revenir à l'ordre du jour ? C'est-à-dire… OUVRIR CETTE FOUTUE PORTE, CAR J'AI HORRIBLEMENT FROID, MOI !

— AH OUI ! La porte ! s'exclama Kayla.

— Oui, la porte ! répéta Trixx. Ton truc

des colonnes n'a pas marché. Je crois même que tu as réussi à casser le mécanisme d'ouverture parce qu'il y a une petite dalle qui s'est ouverte dans le sol, là-bas.

Tarass, Kayla et Marabus dévisagèrent Trixx.

— QUELLE DALLE ? s'écrièrent-ils en chœur.

Trixx se tourna vers l'entrée.

— Celle qui est là-bas !

— OÙ ÇA, LÀ-BAS ? demanda Tarass.

Trixx pointait avec son épée un endroit à quelques mètres de la porte.

— MAIS LÀ ! Nous l'avons enjambée pour arriver ici. Il y a une espèce de mécanisme avec des poulies à l'intérieur.

Tarass se précipita.

— Tu es parvenu à voir la dalle et le mécanisme en courant et en sautant pardessus ? s'étonna Marabus.

— J'ai le sens de l'observation très développé, qu'est-ce que vous voulez.

Arrivé près de la dalle ouverte dans le sol, Tarass s'agenouilla. Les autres se regroupèrent autour de lui.

— OUAIP ! Trixx a raison…

Il lança une grimace à Kayla.

— Le mécanisme est bousillé, mais ce n'est pas ta faute, Kayla.

Tarass plongea son bras dans l'ouverture et en extirpa une longue chaîne brisée.

— C'est à cause de la rouille qu'elle a cédé ! remarqua Marabus.

Elle se pencha pour examiner le mécanisme.

— Il y a une manivelle là ! dit-elle.

Tarass plongea de nouveau la main pour la faire tourner.

— NON ! s'exclama Tarass, déçu. Elle tourne dans le vide ! Ça ne sert à rien. Il faudrait remplacer la chaîne brisée par une autre. Il faudrait une chaîne de…

— Cette longueur ! l'interrompit Trixx.

Trixx venait de positionner ses deux index devant lui pour montrer à son ami quelle longueur de chaîne il lui fallait.

— Avec des maillons grands comme ça ! poursuivit-il.

Trixx avait fermé son pouce sur son index pour imiter un maillon.

— Euh… oui, répondit Tarass, qui voyait où son ami voulait en venir.

Trixx se mit à taper nerveusement avec son pied sur le sol de marbre.

Tarass, lui, se fit tout petit et arbora une mine coupable.

— DE QUOI PARLEZ-VOUS ? s'impatienta Kayla, agacée par leur petit manège.

— Si monsieur Tarass n'avait pas cherché à me faire la morale dans l'épave, je serais en possession de la pièce pour réparer le mécanisme.

Kayla se tourna vers Tarass.

— Quelle chaîne ? Il y avait une chaîne dans l'épave du navire ?

— NON ! IL Y AVAIT UN TRÉSOR ! s'écria Trixx, les deux mains levées vers le ciel. Si je ne l'avais pas écouté, nous serions tous riches, et nous aurions en plus une chaîne pour réparer le mécanisme.

— Une chaîne ? répéta Marabus.

— Oui, une chaîne, confirma Tarass. Mais Trixx avait l'air complètement idiot avec ce bijou autour du cou. Il ressemblait à un wrabeur, vous savez, ces musiciens nomades qui chantent et qui font toutes sortes de bruits avec leur bouche lors des fêtes foraines ?

— Alors, nous allons devoir fouiller les débris de l'épave pour retrouver ce collier ? conclut Trixx, décontenancé.

Tarass regarda l'amoncellement de planches humides. Chercher le collier dans ces décombres n'allait certes pas être une mince tâche.

— Te rappelles-tu où tu l'as laissé ? questionna Kayla.

Trixx la regarda avec une mine d'enterrement.

— NON MAIS ! Il faut vraiment que je fasse tout dans cette histoire, s'emporta-t-il. Qui a découvert la dalle ? Qui a trouvé le collier ? QUI doit REDÉCOUVRIR le collier ? Moi, moi et encore moi ! Non mais, est-ce qu'il serait possible d'obtenir une certaine collaboration de la part de mes coéquipiers ?

Il se dirigea vers l'épave en continuant de marmonner.

— Ce n'est qu'une autre de ses petites crisettes, dit Tarass à Marabus, tandis que Kayla réprimait un sourire.

La chaîne

La neige commençait à couvrir les restes de l'épave. Devant le gros tas de bois pourri, Tarass éprouva un profond sentiment d'écœurement. L'odeur de vieux bois vermoulu, à laquelle s'ajoutaient celle des algues qui se putréfiaient et celle des innombrables petits crustacés morts par manque d'eau qui se décomposaient, lui donnait une terrible envie de vomir.

De la buée sortait de sa bouche, indiquant qu'il faisait de plus en plus froid…

— Nous aurions plutôt dû jouer une partie de graboulie avec les filles, songea Trixx trop tard. ROCHE, PAPIER ET CISEAUX ! Tu parles d'une idée stupide ! Tu avais oublié qu'elles pouvaient lire dans nos pensées. Personne ne peut gagner à ce jeu contre des mages, voyons.

Tarass eut un haut-le-cœur et porta sa main à sa bouche.

— J'avais oublié ! s'excusa-t-il. Je suis désolé… BURRR !

— DÉSOLÉ ! Tu parles… Si nous avions joué au graboulie, nous aurions gagné et c'est nous qui serions autour du feu, c'est-à-dire au chaud en train de préparer le repas. À la place, nous devons fouiller ce gros tas d'ordures pour retrouver un collier que j'avais déjà en ma possession. Belle soirée en perspective !

Tarass remarqua la partie du pont par laquelle il s'était éjecté hors de l'épave avec Trixx.

— REGARDE ! C'est par ici que nous avons quitté le navire. Je reconnais les planches auxquelles je me suis accroché.

Trixx grimaça d'horreur. La section dont parlait Tarass n'était plus qu'un tas de morceaux de bois dangereusement hérissés et de gros cordages couverts d'algues devenues toutes brunes au contact de l'air.

— SUPER ! s'exclama-t-il. Tu viens de trouver le paradis des échardes. Ça va nous prendre des sabliers avant de parvenir jusqu'au collier, tu réalises ?

— Non ! J'ai un plan : tu te métamorphoses en gros rat et tu t'introduis par une petite ouverture. Lorsque tu auras trouvé le collier, remonte-le. Je t'enverrai alors cette longue planche pour que tu puisses glisser jusqu'à moi.

Trixx dévisagea son ami.

— Il n'est pas parfait, ton foutu plan, parce que toi, tu ne te saliras pas. Ce n'est pas juste, car c'est ta faute si nous nous retrouvons dans ce foutu guêpier. Et puis, j'ai si froid.

— Tu commences vraiment à m'énerver avec tes foutus ci, foutus ça ! Transforme-toi ! VITE ! Le soleil ne va pas tarder à se coucher. Si on ne veut pas passer la nuit là-dessus, il faut se grouiller.

— Si je me fais une écharde, que ça s'infecte et que je meurs, je ne te le pardonnerai jamais…

— ALLEZ ! GROUILLE-TOI ! lui cria Tarass, à bout de patience.

Trixx ferma les yeux et baissa la tête. Ses paupières se crispèrent et son corps commença à se modifier. Il se mit à rétrécir de plusieurs centimètres. Ses deux bras devenaient de plus en plus petits. Sa peau ondulait comme des vagues et changeait de couleur. De longs poils apparurent partout sur son corps. Sa transformation était presque complète.

Sous l'arche située devant la porte, Kayla et Marabus avaient dressé un petit campement de fortune en prenant soin de l'entourer de plusieurs feux pour se réchauffer… et pour décourager les loups.

Kayla sortit du sac de victuailles plusieurs contenants argentés sur lesquels étaient collées, entre autres, des images de légumes. C'était la première fois que Marabus apercevait des objets de ce genre.

— Une autre trouvaille des habitants de la contrée oubliée, je présume.

Kayla lui fit signe que oui.

— Ce sont des conserves ! C'est dans ces contenants qu'ils mettaient leur nourriture, c'est pratique et ça dure très longtemps.

Marabus ramassa l'un des contenants pour l'examiner. Sur l'image usée et à demi arrachée, elle remarqua des dessins d'aliments de forme allongée et de couleur brun rosé. Elle ne savait pas du tout de quoi il s'agissait.

— C'EST DÉLICIEUX ! Ce sont des petites saucisses. Parce que nous avons éliminé cette espèce de dragon volant à trois têtes, ils nous en ont donné des tas comme ça.

Elle sortit deux autres conserves de petites saucisses pour les lui montrer.

— AH ! AH ! se moqua Marabus. Vous avez refusé l'or que certains rois ont voulu vous offrir, mais lorsqu'on vous a proposé des petites saucisses, vous avez accepté ?

— Pour des petites saucisses, je mettrais à mort un autre dragon n'importe quand, lui dit Kayla.

Le mot « mort » lui rappela soudain sa douloureuse destinée.

Elle rangea lentement les conserves qu'elle ne voulait pas utiliser.

Marabus s'approcha d'elle et posa affectueusement sa main sur son épaule. Près de Kayla, il y avait douze conserves.

— Ce n'est pas un peu trop ? lui demanda sa tante. Et le rationnement, tu y as pensé ?

Ses mains jointes entre ses jambes, Kayla demeura agenouillée, immobile. Son regard était perdu dans le vide.

— Ce soir, j'ai faim ! Très faim, souffla-t-elle.

Elle cherchait une façon d'oublier son chagrin.

Entre les planches brisées, Tarass cherchait des yeux son ami Trixx. Il y avait plus d'un sablier qu'il s'était introduit dans les restes de l'épave. Hormis le bruit des petits affaissements dus à l'accumulation de neige, le silence était total, presque lugubre.

Au loin, il pouvait apercevoir les lueurs réconfortantes des feux allumés par Kayla et Marabus. Les flammes dansaient sous le ciel presque noir... et faisaient briller LES YEUX DES LOUPS !

Tarass fit un rapide tour d'horizon et aperçut plus d'une dizaine de paires d'yeux étincelants. Ces méprisables carnivores avaient presque réussi à le prendre par surprise. Ils le fixaient tous, l'air affamé.

La meute de loups avançait vers lui de

façon vicieuse. De leurs gueules ouvertes s'écoulait l'écume de leur rage et de leur appétit vorace. Ce n'était pas le fruit de son imagination, ils étaient tous là, se dirigeant lentement mais sûrement vers lui.

Tarass voulut soulever son bouclier au-dessus de sa tête afin de créer une crevasse qui allait les engloutir d'un seul coup, mais il se ravisa. La secousse que produirait son arme en heurtant le sol pourrait causer l'effondrement complet de l'épave, tuant ainsi ce pauvre Trixx qui s'était introduit sous les débris.

Il jeta un bref coup d'œil en direction du campement, mais à cause des toiles de tente, Kayla et Marabus ne pouvaient le voir. Il ne devait donc pas s'attendre à ce qu'elles lui prêtent assistance avec leurs mandalas magiques. Il devait combattre tous ces loups… SEUL !

Sous les décombres, Trixx, qui avait désormais l'apparence d'un rat, aperçut deux rubis et une pièce en or : il était sur la bonne voie. Cependant, au bout d'une planche, il tomba sur un gros crabe belliqueux et très protecteur de son territoire.

Le crustacé fit claquer ses grosses pinces et coupa une partie des moustaches de Trixx, qui dut battre en retraite. Le crabe se lança à sa poursuite. Trixx gambada comme un lapin et sauta sur une corde juste au-dessus de la planche. Le crabe tendit son bras et ouvrit toute grande sa pince vers la queue de Trixx qui se balançait juste au-dessus de lui.

— OUPS ! s'écria celui-ci. Le poil repousse mais pas une queue.

Il écarta sa queue de la tenaille tranchante du crustacé et se mit à gravir la corde jusqu'à une poutre qui traversait de part en part le navire. C'était une chance, elle allait dans la bonne direction.

Trixx avança sur la poutre sans savoir que le crabe, plutôt tenace, était parvenu à s'agripper sous elle. Très adroit lui aussi, il suivait son rythme très rapide.

Arrivé au bout de la poutre, Trixx aperçut enfin le collier qui brillait au milieu d'une mare de boue visqueuse tout au fond des décombres de la cale. Il sauta sur une planche, puis sur une autre, afin de s'approcher de lui.

Le collier était presque à sa portée;

seule cette mare inquiétante le séparait de l'objet. Trixx aperçut plusieurs bouteilles de rhum qui flottaient à la surface et qui par chance dérivaient vers l'endroit où se trouvait le fameux collier.

Il sauta sur la première. Elle pencha légèrement mais s'arrêta. Il bondit alors sur la deuxième, et enfin sur la troisième. Cette dernière se mit à valser mais s'immobilisa aussi. Le collier était juste à quelques centimètres de son museau. Lorsqu'il tendit la queue pour l'accrocher et le tirer vers lui, le gros crabe émergea de la mare, juste sous lui…

Tarass était parvenu à assommer le premier loup téméraire qui avait osé s'approcher trop près de lui. L'animal gisait à ses pieds, son sang rouge luisant se répandant sur la neige blanche. La leçon n'avait cependant pas porté fruit, car les autres avançaient toujours implacablement. Derrière la meute, Tarass aperçut soudain une énorme bête au pelage hérissé. Contrairement aux autres loups, il avait la queue dressée. Cela signifiait qu'il était le chef de la bande.

Tarass savait, pour avoir si souvent chassé ces bêtes avec son père, que s'il parvenait à tuer ce loup, les autres s'enfuiraient comme des pleutres…

D'un geste vif, le crabe attrapa le cou de Trixx avec l'une de ses grosses pinces. Le jeune homme sentit la mort se resserrer sur lui de plus en plus. L'air passait à peine à travers sa gorge comprimée. L'endroit où il se trouvait était beaucoup trop exigu pour qu'il puisse retrouver sa forme normale et les planches qui pointaient dangereusement vers lui attendaient pour le transpercer.

D'un rapide coup d'œil circulaire, il aperçut soudain une bouteille de rhum brisée. Dans un geste de désespoir, il pivota vers la gauche en entraînant le crabe dans sa chute. Le crustacé heurta de plein fouet le tranchant de la bouteille et sa pince fut coupée net.

Du même coup, Trixx était parvenu à s'accrocher avec sa queue au goulot. Suspendu la tête en bas, il reprenait son souffle tout en observant le crabe qui s'enfonçait dans la mare pour enfin disparaître.

Trixx fit ensuite balancer son corps quelques fois pour parvenir à attraper... LE COLLIER !

Impuissant, Tarass observait les loups qui avançaient toujours vers lui, prêts à bondir. Il devait agir maintenant. Il se tourna vers la longue planche qu'il avait placée pour accueillir Trixx, mais son ami n'était nulle part en vue. Il se plaça alors face aux loups.

— Et Trixx qui pense qu'il doit toujours se taper les pires boulots, marmonna Tarass.

Il inspira profondément et, tout comme il l'avait fait si souvent depuis qu'il s'était porté acquéreur du bouclier magique de Magalu, il fit tourner son arme au-dessus de sa tête rapidement, de plus en plus rapidement, toujours plus rapidement. Autour de lui, tout devint soudain très silencieux.

Tarass bondit sur ses jambes et se mit à courir vers le chef de la meute. Les autres loups tournèrent lentement la tête vers lui, comme suspendus dans leur élan. Frappé de stupeur, Tarass s'arrêta net. Tous les loups convergeaient vers lui comme au ralenti. Il comprit que la magie du bouclier venait de les envoûter.

Tarass passa ensuite facilement sous l'un des loups qui bondissait griffes dehors et gueule béante vers lui. La bête arriva lentement sur le sol et se retourna pour revenir à la charge. Même en marchant, Tarass savait qu'il pouvait s'écarter d'elle facilement. Il enjamba alors un autre loup pour finalement atteindre le chef.

N'ayant aucune idée de la durée du sortilège, Tarass décida d'agir sans attendre. Le gigantesque loup se dressait devant lui sur ses deux pattes arrière comme un homme. Il devait faire au moins un mètre de plus que le jeune guerrier. Ses longues griffes recourbées et affûtées comme des poignards pouvaient décapiter n'importe quel ennemi en quelques secondes. Tarass comprenait pourquoi il était le chef de la meute.

Il contourna adroitement la bête et alla se placer derrière elle.

— LE ROI S'APPRÊTE À PERDRE SA COURONNE ! s'écria-t-il.

Il souleva son bouclier et trancha la queue du loup. Le gros animal ouvrit lentement sa gueule et poussa un gémissement, puis un très long hurlement, presque humain.

GRAAAOOUUUU !

Autour de Tarass, les autres bêtes baissèrent la tête et suivirent leur chef qui se dirigeait, toujours très lentement, vers la forêt. Tarass plaça son bouclier devant lui et y appuya son menton pour reprendre son souffle.

Derrière lui, un très agréable bruit de chaîne se fit entendre. Au bout de la planche, Trixx tenait dans sa bouche le fameux collier : il avait réussi !

Tarass s'approcha de la planche et la fit pencher vers lui. Le collier enroulé plusieurs fois autour de son cou, Trixx glissa jusqu'à son ami, qui l'attrapa.

— Tu sais, lui dit Tarass, tu es tout de même lourd, pour un rat.

— C'est ce collier qui est lourd ! Tu peux me déposer, s'il te plaît !

Ce n'était pas une question mais plutôt une requête de Trixx.

— C'est très étrange, maintenant ce bijou te va à ravir.

— TRÈS DRÔLE !

Trixx se pencha vers la gauche et plaça ses deux mains devant lui comme le font les wrabeurs.

— YO !

Tarass s'esclaffa…

Il enleva ensuite le collier du cou de son ami pour qu'il puisse retrouver sa forme normale.

À quelques mètres de l'épave, Trixx remarqua une longue touffe de poils dans la neige. Il se pencha pour la ramasser.

— UNE QUEUE D'ANIMAL ! s'exclama-t-il, tout content. C'EST EXCELLENT !

Il brandit sous les yeux de Tarass sa dernière trouvaille.

— ENLÈVE CETTE CHOSE DE MA VUE ! lui intima son ami. C'EST DÉGOÛTANT !

— Est-ce que tu sais ce que ça signifie ?

— Euh ! ça signifie que tu vas te taper une soupe abjecte à la queue d'animal ! lui répondit Tarass.

— MAIS NON ! Ça veut dire que nous

allons gagner la guerre et vaincre Khan ! Tu sais que les chasseurs considèrent le fait de trouver une queue d'animal comme le plus efficace de tous les porte-bonheur ?

— Tout le monde sait cela, mais ça ne veut pas dire pour autant que ce soit vrai.

— J'ai vraiment besoin d'un peu de chance dans la vie, songea Trixx en examinant la queue. Parce que pendant que tu m'attendais tranquillement, moi, j'ai dû combattre pour récupérer le collier.

Tarass arrêta de marcher et se tourna vers son ami.

— Combattre !

— OUI, MONSIEUR ! Combattre un crabe, avec une super grosse pince en plus…

Tarass leva les yeux au ciel et reprit le chemin en direction du campement…

La promesse

Le soleil était couché depuis longtemps. La chute de neige se poursuivait et le paysage, bien que plongé dans la noirceur, laissait transparaître ses courbes interminables devenues blanchâtres.

Confortablement enfoui sous une couverture, Trixx ronflait.

Dans la partie reculée du campement, à la lueur de sa chandelle éternelle, Marabus lisait tranquillement un recueil de sortilèges que lui avait prêté Kayla. C'était un don de leur ami Samir, un marchand de la contrée d'Aztéka. Il avait acheté ce grimoire d'un homme étrange, rencontré lors de l'un de ses multiples voyages dans la contrée d'Indie. Marabus était absorbée dans sa lecture.

Kayla se tenait accroupie près du feu, elle qui était pourtant la première à s'assoupir le soir venu.

Étendu sur sa couche, Tarass l'observait en silence. Il faisait semblant de dormir.

— C'est formidable ! s'exclama tout à coup Marabus. Je ne connais aucun de ces sortilèges. Tu es certaine que ton ami a acheté ce bouquin ? Parce que l'on ne vend jamais un livre de magie à n'importe qui. Ces livres précieux ne se transmettent que de génération de mages en génération de mages, ou de sorciers.

— C'est un ami qui l'a acheté d'un homme et qui me l'a donné ensuite, affirma Kayla. Comme je te l'ai dit, je n'ai jamais eu le temps de le consulter. C'est même la première fois que quelqu'un l'ouvre…

— C'est vraiment étrange ! s'exclama encore Marabus avant de reprendre sa lecture.

Devant le feu qui crépitait, Kayla replongea dans ses pensées.

Tarass souleva lentement sa couverture et se dirigea doucement vers son amie. Elle ne se retourna même pas vers lui lorsqu'il s'assit à côté d'elle…

— Difficile journée, n'est-ce pas ?

Elle demeura muette. Elle baissa les yeux vers le sol puis les ferma.

— Qu'est-ce qui se passe, Kayla ? Est-ce que j'ai dit ou fait quelque chose pour te déplaire ?

Kayla ouvrit les yeux et hocha la tête négativement. Les flammes brillaient dans ses beaux yeux bruns.

Tarass remarqua le porte-bonheur de Trixx près de Kayla.

— Trixx a laissé sa cochonnerie puante à côté de toi ?

Kayla tourna la tête.

— Non ! Il m'en a fait cadeau.

— Il t'a donné son super porte-bonheur infaillible ?

— Oui !

— Je sais pourquoi il te l'a donné. Lui aussi a compris que tu étais très triste, dit Tarass en souriant affectueusement à la jeune fille.

Kayla ne broncha pas…

— C'est cela, n'est-ce pas ? J'ai raison, il y a quelque chose qui cloche et tu vas finir par me le dire, poursuivit Tarass en la chatouillant.

— NOON ! ARRÊTE ! cria-t-elle.

Tarass s'écarta de son amie.

— Si tu ne me le dis pas, je vais faire comme lorsque nous étions à l'école : je vais te chatouiller avec une plume jusqu'à ce que tu parles.

Il la chatouilla encore.

— NOOOON ! se plaignit-elle. Tu n'as même pas de plume.

— Non, mais j'ai le porte-bonheur de Trixx, dit Tarass en ramassant la queue de loup.

Il la chatouilla dans le cou…

— D'ACCORD ! D'ACCORD ! cria Kayla, vaincue.

Tarass s'assit confortablement pour l'écouter.

— Je… je vais mourir ! déclara Kayla après avoir pris une profonde inspiration.

Les yeux de Tarass s'agrandirent de terreur.

— QUOI ! Tu vas mourir ? Comment, tu es malade ?

— Non ! C'est le grand mage Amrak qui l'a dit aux autres mages. Tu sais, celui qui est doué du pouvoir de discernement des chemins de l'avenir. Celui qui ne se trompe… JAMAIS ! Il a vu dans les sphères de Rutuf que lorsque nous arriverons à Drakmor, l'un de nous trois va mourir. Voilà la raison de la présence de ma tante parmi nous. Elle n'est pas venue dans le seul but de nous donner du courrier.

— J'aurais dû y penser, soupira Tarass.

— Amrak a aussi révélé aux mages que nous allions devoir choisir qui de nous trois allait mourir.

— CHOISIR ! répéta Tarass. Alors tu n'as rien à craindre, car je me choisis moi-même. C'est moi qui vais mourir à ta place là-bas, c'est réglé…

— Amrak a précisé que le choix de celui qui allait mourir se ferait longtemps avant que sa mort ne survienne.

— Bon, alors dis-moi quand je peux choisir.

— Le choix a été fait aujourd'hui, Tarass, lorsque j'ai tourné la dernière colonne : j'ai choisi mon image, je me suis choisie.

Tarass comprit alors qu'il était trop tard.

— Je me suis choisie, répéta Kayla, pour les mêmes raisons que tu voulais te choisir…

Tarass entra dans une vive colère. Il pointa son index près du nez de Kayla.

— AH OUI ! EH BIEN, REGARDE !

Tarass ramassa une pierre sur le sol et la déposa par terre devant lui.

— JE SUIS TARASS KRIKOM. JE ME FAIS GRAND PROPHÈTE DES AUGURES ! JE VOIS DANS CETTE PIERRE MAGIQUE QUE TU VAS VIVRE HEUREUSE, AVEC TOUT PLEIN D'ENFANTS, À LAGOMIAS ! BON !

— Qu'est-ce qui se passe ? s'informa Marabus, intriguée par ces éclats de voix.

Réveillé par les cris de Tarass, Trixx se leva de sa couche et s'approcha.

— Je le lui ai dit ! répondit Kayla à sa tante. En fait, il m'a forcée à le lui dire.

— Dire quoi ? demanda Trixx.

— Pourquoi ne me l'avez-vous pas dit ? demanda rageusement Tarass à Marabus. C'est à cause de moi que nous sommes partis de Lagomias, et s'il doit arriver un malheur à quelqu'un, c'est à moi que ça doit arriver, à personne d'autre.

— Quel malheur ? interrogea encore Trixx.

— Vous aimez les prédictions ? leur dit Tarass. Alors en voici une, et je vous promets que celle-ci va se réaliser.

Ses yeux lançaient de la foudre.

— Vous allez devoir tous les trois oublier les augures de Lagomias. Khan, lui, devra faire une croix sur ce que lui ont prédit ses prophètes de Drakmor.

Kayla, Marabus et Trixx demeurèrent muets.

— Oui ! Nous atteindrons un jour Drakmor, leur annonça Tarass. Les armées de Khan seront défaites, et Khonte Khan lui-même sera vaincu. Nous allons tous revenir après une victoire éclatante du blanc contre le noir. Kayla, Trixx, Marabus, vous reviendrez tous à Lagomias. Je reviendrai moi aussi. Sur tout l'atoll régnera ensuite une paix qui s'installera pour des millénaires. Mais si une flèche mortelle ou un sortilège meurtrier sont utilisés pour changer le cours de l'histoire…

Tarass regarda Kayla dans les yeux avant d'achever sa phrase :

— … je prendrai la place qui me revient, je t'en fais la promesse solennelle, Kayla…

Une nuit agitée

Malgré les péripéties de la journée et les révélations bouleversantes de la soirée, le campement était devenu rapidement tranquille. Les quatre amis se reposaient paisiblement.

Le recueil de sortilèges de Kayla dans sa main droite, le pouce entre deux pages, Marabus dormait profondément quand l'une des pages du grimoire se mit tout à coup à vibrer.

Un mince filet de fumée verte commença à s'échapper du petit bouquin. Très vite, au-dessus du campement, l'étrange fumée se transforma en gros nuage dans lequel apparaissait de temps à autre un terrifiant visage. Traversé par une multitude de petits éclairs, le nuage tourna sur lui-même pendant quelques grains de sablier avant de plonger dans la braise incandescente du feu.

Les résidus ardents se mirent à crépiter et des doigts enflammés apparurent. Ils émergèrent lentement, suivis d'une main horrible, qui s'agita au bout d'un long bras flamboyant. Une seconde main surgit, à laquelle succéda une tête effroyable. Puis vint enfin un corps. Une créature venue des confins de l'enfer venait de se matérialiser, un monstre de flammes.

Réveillé par la grande chaleur et la lumière vive que dégageait la créature, Tarass se retourna dans sa couche.

— MMHH ! Bleu ! Tu as mis trop de bois, beaucoup trop de bois.

Trixx se réveilla en sursaut.

— LE FEEUUUU ! s'exclama-t-il en s'assoyant dans son lit. Il faut que je mette du bois.

Ses yeux sortirent presque de leur orbite lorsqu'il aperçut la créature incandescente dressée au centre du feu, à ses pieds. Celle-ci se tourna vers lui et le fixa de ses yeux noirs et vides.

Trixx ouvrit la bouche pour alerter ses amis, mais il ne put prononcer un seul mot. Il était paralysé par la surprise et la peur.

La créature fit un geste avec sa main dans sa direction. Un crâne enflammé apparut et arriva férocement sur lui comme un boulet de canon. Trixx effectua une roulade pour éviter d'être atteint. Le crâne poursuivit sa trajectoire et heurta violemment le sol. L'explosion qui s'ensuivit forma un cratère et réveilla les autres. Il y avait des étincelles qui volaient partout.

Tarass était déjà sur ses jambes et cherchait son bouclier, lorsque la créature se tourna vers lui et lança un autre crâne. Tout près de lui, Marabus fit un geste avec ses doigts et le bouclier de Magalu se dressa comme par magie entre le projectile mortel et Tarass. Le crâne frappa l'arme magique de plein fouet. Le jeune guerrier tendit son bras et attrapa tout de suite son bouclier.

— MERCI ! lança-t-il à l'adresse de la grande mage.

Recroquevillée contre un mur, Kayla tentait de préparer un mandala. La créature ramassa de la braise et la jeta dans les airs. Une pluie de résidus ardents retomba sur tout le campement. Le parchemin que tenait dans ses mains la pauvre Kayla s'enflamma et elle dut le jeter au loin pour tenter d'en préparer un autre.

La chaleur devenait de plus en plus intense. Protégé par son bouclier, Tarass avança vers la créature. Celle-ci se tourna vers lui et tendit ses deux bras. Dans chacune de ses mains, deux crânes à la mâchoire ouverte apparurent. De la bouche des crânes jaillirent des jets de lave brûlante qui frappèrent l'arme magique. Des éclaboussures de magma volèrent dans toutes les directions.

Marabus tendit ses bras et ouvrit ses dix doigts en direction de la créature issue des profondeurs. Puis, elle marmonna très vite une incantation. Au bout de ses doigts, des rayons bleus apparurent. Les dix rayons frappèrent le torse de la créature, qui s'immobilisa dans une longue lamentation.

YAAAARRRUUU !

Kayla s'approcha de la créature et prononça une parole magique. Puis, elle lui lança son mandala. Lorsqu'il toucha son corps enflammé, le mandala créa une vague d'eau qui se rabattit sur elle.

— PLUS D'EAU ! PLUS D'EAU ! hurla-t-elle à Tarass et à Trixx. ALLEZ CHERCHER DE LA NEIGE, VITE ! VITE ! NOUS NE POURRONS PAS LA RETENIR TRÈS LONGTEMPS !

Aidé de son ami Trixx, Tarass arracha la toile qui entourait le campement et se jeta à genoux. Frénétiquement, ils emplirent tous les deux le bouclier et retournèrent près de la créature qui était encore sous l'emprise des deux mages.

— QU'EST-CE QUE JE FAIS ? JE LUI LANCE SUR LA TÊTE ? demanda Tarass.

— NON ! JETTE TOUT DANS LA BRAISE ! lui cria Marabus. IL FAUT COMPLÈTEMENT ÉTEINDRE LE FEU !

Tarass s'exécuta avec rapidité. Lorsque la neige toucha les braises, un épais nuage de vapeur se forma aussitôt. La créature exprima sa colère par des rugissements.

— ENCORE DE LA NEIGE ! dit Marabus.

Tarass et Trixx s'exécutèrent une autre fois.

Au centre du nuage de vapeur, la créature commençait à se décomposer. De gros morceaux noirs tombaient de son corps maintenant inanimé. Au bout de quelques grains du sablier, il ne restait plus au milieu du feu éteint qu'un squelette décharné, dressé dans une position de grande souffrance.

Tarass et Trixx s'affairaient à éteindre les feux qui brûlaient partout. Ils étaient presque tous éteints lorsque Marabus les arrêta.

— Il faut en conserver un pour se chauffer, leur dit-elle.

Elle se dirigea ensuite silencieusement vers sa couche. Le campement était dans un désordre incroyable. Elle ramassa le petit recueil de sortilèges de Kayla et l'ouvrit. Son regard s'arrêta sur une page ornée d'une tache rouge qui représentait un serpent portant des cornes sur sa tête…

Elle montra la tache à sa nièce, qui reconnut tout de suite la marque du mal, la marque de Khan, dessinée avec du sang humain. Elle regarda Marabus d'un air très grave.

— Ne crains rien, chère tante, la vie est

porteuse de leçons, et je suis une élève attentive. Ça ne se reproduira plus. Jamais plus je n'accepterai ce genre de cadeau empoisonné.

Marabus referma le petit bouquin et le lança dans le feu. Comme dans un affreux cauchemar, une étrange silhouette blanche se mit à voltiger de façon inquiétante dans la fumée noire. La silhouette aux yeux rouges semblables à des taches de sang nargua Tarass en jetant son regard dans le sien avant de s'envoler et de disparaître dans la nuit…

15

Les statues humaines

Le soleil pointait à l'horizon et le jour se levait déjà. La nuit courte et difficile avait fait des dommages et sapé les forces du groupe, qui se préparait tout de même vaillamment pour une autre journée pleine de défis.

Tarass avait fait un tri et avait ramassé tout ce que le feu n'avait pas détruit. Il restait très peu de choses. Quelques couvertures et quelques vêtements. La rage au cœur, Trixx frottait la lame de son épée avec une pierre ponce. Il voulait qu'elle soit tranchante au point de couper en deux les armes de ses ennemis.

Marabus et Kayla préparaient des mandalas. Près d'elles commençaient à s'empiler les cailloux enveloppés d'un parchemin sur lequel étaient dessinées les images magiques.

Personne ne parlait. Il n'y avait aucun doute dans l'esprit de Marabus : ce calme inconfortable était précurseur d'une tempête mortelle…

Le dernier objet que ramassa Tarass fut la chaîne de Trixx accrochée à un arbuste. C'était le signal pour tous qu'il était temps de partir…

Le soleil brillait sur le paysage devenu tout blanc. Tarass s'agenouilla sur le sol devant l'ouverture laissée par la dalle brisée. Il entreprit de dégager le mécanisme recouvert par une mince couche de neige.

— Et si tout est gelé, lança Trixx, qu'est-ce qu'on va faire ?

Tarass introduisit la chaîne dans l'ouverture et la plaça exactement où devait être celle qui s'était brisée. Il tourna juste un petit peu la manivelle pour vérifier si tout fonctionnait. Les roues dentées tournèrent et la porte se leva légèrement.

— MAGNIFIQUE ! s'écria Kayla.

Trixx et lui ayant repris leur position

respective devant la porte, Tarass donna enfin le signal…

Marabus tourna la manivelle et ne s'arrêta que lorsque la porte fut complètement ouverte.

BRRRRRRRRRR !

Un épais nuage de poussière sortit de derrière la porte. Tarass et Trixx, armes pointées vers l'entrée, ne bougèrent pas d'un poil. La brise froide dissipa vite la poussière.

Derrière la porte, un long couloir pénétrait, en pente, dans le sol. Sur les dalles de marbre gris du plancher, à part quelques carcasses desséchées de petits rongeurs morts depuis longtemps, il n'y avait rien.

Tarass fit signe à ses amis de le suivre, puis il s'introduisit dans cette voie lugubre.

À peine eurent-ils parcouru une centaine de mètres que la porte se referma lourdement derrière eux.

BRRRRRRRRR !

Trixx sursauta.

— Voilà ! Nous sommes maintenant prisonniers. Nous n'avons plus d'autre choix que d'avancer.

Il souleva son épée et continua à marcher derrière Tarass.

Un peu plus loin, Tarass s'arrêta. Il venait d'apercevoir quelque chose à quelques mètres devant : la silhouette d'un homme qui ne bougeait pas…

Trixx l'aperçut lui aussi.

— QUI VA LÀ ? demanda-t-il de façon impérieuse. QUI QUE VOUS SOYEZ, PRÉSENTEZ-VOUS !

L'homme demeura immobile.

— Je crois qu'il s'agit d'une statue, en déduisit Kayla. À moins que cette personne soit complètement sourde.

Tarass avança lentement, bouclier brandi devant lui. Lorsqu'il parvint à la hauteur de l'homme, il constata que Kayla avait vu juste. Il ne s'agissait que d'une banale et inoffensive statue. Il la contourna pour continuer.

Marabus s'arrêta cependant pour l'examiner. Les traits crispés du visage reflétaient dans les moindres détails ce qui semblait être une grande douleur. Jamais elle n'avait vu pareil réalisme dans une œuvre d'art au cours de ses innombrables voyages, ni même dans tous les livres de sa grande bibliothèque. Pour elle, aucun sculpteur, aussi talentueux fût-il, ne pouvait parvenir à produire une œuvre aussi saisissante de vérité… PERSONNE !

— Tarass, dit-elle, ce que je craignais le plus vient de se réaliser.

Le jeune homme revint sur ses pas et se prépara à encaisser une autre mauvaise nouvelle. Derrière eux, Kayla et Trixx étaient très attentifs.

— Ce n'est pas une statue ! déclara Marabus d'un ton grave.

Tarass se retourna vers ce qu'il croyait être une sculpture.

— Mais alors, de quoi s'agit-il ? demanda-t-il.

— C'est un homme pétrifié ! Un homme transformé en pierre…

Le visage de Tarass se figea. Il se tourna vers les profondeurs du couloir. Il venait de comprendre qui se cachait dans cet antre ténébreux et infect.

— LA MÉDUSE ! réalisèrent aussi Kayla et Trixx.

— Il a fallu que nous tombions sur le repaire de cette femme dont le regard transforme les hommes en statue, dit finalement

Tarass. Pourquoi faut-il que nous rencontrions chacune des créatures que Khan met sur notre route ? Nous n'arriverons jamais à Drakmor si ça continue…

— Ne t'énerve pas, Tarass ! tenta de le rassurer Kayla. Nous allons trouver une solution. Nous avons souvent combattu des ennemis beaucoup plus redoutables.

Tarass se tourna vers elle.

— Tu as peut-être raison !

Investi d'un sentiment de confiance, il se dirigea vers les profondeurs du couloir. Plus ils avançaient tous les quatre, plus tout s'assombrissait autour d'eux.

Marabus fouilla dans son pactouille et en ressortit quatre colliers au bout desquels pendait une pierre bleue, une pierre de lune. Elle frappa les pierres les unes contre les autres et leur lueur vive éclaira aussitôt les murs autour d'eux. Elle remit un collier à chacun.

Directement devant eux se présenta tout à coup une bifurcation par la droite. Il était impossible de vérifier si cette voie était libre ni de voir où elle conduisait. Tarass s'étendit sur le sol et rampa sur le ventre jusqu'au coin du mur, puis il leva la tête.

Des dizaines de corps pétrifiés de soldats bordaient le couloir. Ils étaient en position de combat, glaive en main. Encore des victimes du regard de la méduse.

Les battements de son cœur se mirent à accélérer et sa respiration se fit haletante. Au loin, il aperçut soudain de la lumière qui filtrait du plafond. Selon l'intensité, il n'y avait pas de doute qu'il s'agissait du soleil et non pas d'une simple chandelle allumée.

Il mesura son geste et posa un pied dans le couloir en direction de la lumière. Il avançait avec précaution. Derrière lui, épée en main, Trixx suivait ses moindres mouvements. Tenant dans chacune de leurs mains un mandala enroulé autour d'un caillou, Marabus et Kayla étaient prêtes à agir ou à riposter.

De chaque côté d'eux défilaient les soldats transformés en pierre. Des années de poussière s'accumulaient sur leurs épaules et sur leurs têtes immobiles. Des araignées avaient élu domicile sous leurs armures rouillées et il y avait des toiles partout.

Parvenu à mi-chemin, Tarass s'arrêta à quelques mètres du cercle de lumière qui arrivait sur le sol. Derrière lui, tous stoppèrent aussi. Sur leurs gardes, ils étaient tous les trois prêts à tourner la tête et à regarder dans une autre direction si le sifflement intense de plusieurs serpents se faisait entendre. Le temps n'était donc pas à la conversation, il fallait écouter, écouter attentivement !

Le temps passa et Tarass demeurait toujours fixe. Soudain, il tourna légèrement les yeux. À sa gauche se tenait une dernière silhouette, immobile dans la pénombre. Il ne pouvait pas apercevoir son visage. Elle ne portait pas d'armure et, contrairement aux autres statues, elle n'était pas recouverte de poussière. Tarass prit une très grande inspiration et se jeta sur elle avec son bouclier en hurlant.

YAAAAHHH !

Alexandrine

D'un geste vif et très précis, Tarass fit pivoter son bouclier et parvint à placer rapidement le côté concave de son arme sur le visage de la silhouette pour la cacher. Coincée entre le bouclier et le mur, la silhouette s'agitait en gesticulant de façon frénétique.

Derrière Tarass, ses trois amis eurent un mouvement de surprise.

— TU ES PARVENU À ATTRAPER LA MÉDUSE ! s'écria Trixx, qui jubilait. TU AS ÉTÉ SENSATIONNEL !

— BRAVO, TARASS ! lui lança Marabus. Quelle bonne idée, le coup du bouclier inversé…

— AIDEZ-MOI AU LIEU DE PARLER ! POUSSEZ AVEC MOI POUR

QU'ELLE NE NOUS ÉCHAPPE PAS!

Kayla et Trixx campèrent leurs deux pieds solidement sur le sol et mirent tout leur poids sur le bouclier.

Des sifflements stridents se firent entendre de derrière son arme, confirmant qu'il avait bel et bien réussi à capturer l'ignoble et redoutable créature.

— Qu'est-ce qu'on fait maintenant ? demanda Trixx. On ne peut pas la retenir éternellement comme ça et se relayer pour se reposer…

— Nous allons lui mettre un foulard sur les yeux, suggéra Kayla. De cette façon, elle ne pourra pas nous jeter des éclairs et nous pétrifier.

— BONNE IDÉE ! approuva Trixx.

— Et qui va se porter volontaire pour attacher le foulard derrière sa tête ? demanda Tarass. Vous avez oublié qu'elle a un tas de serpents venimeux en guise de chevelure !

Kayla et Trixx se regardèrent en grimaçant.

— Il faut trouver autre chose…, dit Tarass.

Personne n'avait remarqué que, derrière

le bouclier, la méduse avait cessé de se débattre. Ses deux bras inertes pendaient de chaque côté de son corps.

— NOUS AVONS RÉUSSI À LA TUER ! s'exclama Kayla.

Elle le souhaitait ardemment, car de cette façon, le problème serait réglé.

Marabus se pencha tout à coup vers elle. Tout près de sa main droite, sur le mur poussiéreux, il y avait quatre mots : mon nom est Alex…

— REGARDEZ ! dit-elle. CROYEZ-VOUS QUE C'EST ELLE QUI A ÉCRIT CES MOTS ?

Tarass se figea encore une fois.

— Ah non ! Nous avons tué une innocente ! se désola-t-il.

Ils laissèrent tous les trois glisser le bouclier lentement pour rattraper le corps de la jeune fille.

— LES SIFFLEMENTS ! comprit alors Kayla. Ce n'était pas le sifflement des serpents que nous entendions, mais sa respiration…

— Déposez-la ici ! ordonna Marabus.

Tarass et Trixx s'exécutèrent et Marabus se pencha vers la jeune fille. Elle colla son oreille sur sa poitrine pour écouter pendant quelques grains du sablier puis se releva.

— Elle respire ! annonça-t-elle.

Tarass aussi respirait maintenant.

Mais la frêle jeune fille gisait toujours inconsciente. Son visage était noir de saleté et ses vêtements crottés et en lambeaux avaient eu de meilleurs jours.

Marabus lui donna quelques petites tapes sur les joues pour la réveiller.

— Alex ! Alex ! répéta-t-elle. Alex ! Peux-tu ouvrir les yeux ? Peux-tu bouger ?

Les paupières de la jeune fille se mirent à trembler, puis s'ouvrirent. Elle regarda Marabus et lui fit un petit sourire.

— Bonjour ! Est-ce que tout va bien, Alex ? lui demanda la mage.

— *Yia sas !* Je m'appelle Alexandrine, dit-elle. Je me suis évanouie avant de terminer d'écrire mon nom.

Tarass s'approcha d'elle.

— Pardon ! Je suis vraiment désolé, Alexandrine, s'excusa-t-il. J'ai cru que tu étais la méduse.

— *Katalaveno !* lui répondit-elle dans sa langue.

— Qu'est-ce que tu fais toute seule dans cet endroit maudit ? l'interrogea Kayla.

Alexandrine s'assit avec l'aide de Marabus.

— J'aime mieux être toute seule ici que toute seule à l'extérieur.

— Mais pourquoi ?

— Parce que c'est la guerre ! Les gens sont tués par milliers par les cruels quatre bras de Khonte Khan. Voilà des mois que je n'ai vu personne. Je crois que je suis la dernière…

Tarass lança un regard de feu en direction de Kayla.

— DES OGRAKKS ! s'écria celle-ci.

— Les habitants sont tués ou transformés en statue par la méduse, poursuivit Alexandrine. Des villes entières ont été détruites. Je suis à l'abri ici, je ne risque rien. En fait, je ne risquais rien avant que vous arriviez.

Elle lança un regard froid en direction de Tarass.

— Lorsque quelqu'un vient, je joue la statue pétrifiée. Habituellement, ça marche. En plus, il neige à l'extérieur et il fait très froid. Jamais dans l'histoire de Greccia il n'est tombé un seul flocon. La fin du monde est arrivée, je crois. Khan va remporter la guerre et nous n'aurons plus de place où aller sur l'atoll pour vivre en paix.

Kayla posa une main réconfortante sur l'épaule d'Alexandrine…

Des armées de statues

Tarass leva la tête en direction du puits de lumière qui était situé à quelques mètres d'eux.

— Cette sortie-là, où mène-t-elle ? demanda-t-il à Alexandrine.

— C'est un tronc d'arbre creux qui s'élève à plus d'une dizaine de mètres dans les airs. Il débouche sur une *o thromos*, une route près de la ville d'Athènes. Ici, nous sommes au milieu du trajet emprunté par les troupes des quatre bras pour aller vers Olympie, la ville frontalière. De là-bas, ces créatures peuvent atteindre facilement la contrée oubliée, parce que cette partie du labyrinthe a été détruite par des lézards géants de Jurassium. C'est la *o thromos* principale des troupes de Khan. Elle conduit vers toutes les autres contrées, jusqu'à Lagomias, qui se trouve complètement à l'ouest de l'atoll…

Tarass, Kayla, Trixx et Marabus dévisagèrent Alexandrine. Cette partie du labyrinthe ne protégeait plus leur contrée qui se retrouvait encore plus menacée. Il leur fallait faire quelque chose…

Alexandrine se leva et rejoignit Tarass, qui s'était placé sous l'ouverture du tronc d'arbre. Immobile, il humait l'air frais qui pénétrait par l'ouverture et observait les nuages qui passaient très haut dans le ciel.

— Comment fait-on pour monter ?

— Par les racines ! Suis-moi. Je suis montée des centaines de fois, je connais le truc. C'est ici que je viens pour faire de l'exercice et m'amuser lorsque je m'ennuie…

Alexandrine posa le pied sur une première racine, puis se souleva pour en attraper une seconde. Habituée, elle escalada le reste facilement.

Agile, Tarass l'imita et parvint rapidement à sa hauteur. Il voulut sortir pour regarder, mais Alexandrine l'en empêcha en posant sa main sur sa tête.

— Non ! Attends un peu, Tarass.

— Pourquoi ?

— Parce que nous sommes surveillés !

— PAR QUI ? DES OGRAKKS ?

— Non, par Khonte Khan !

— KHONTE KHAN ! IL EST ICI, CE PARASITE NUISIBLE !

À leurs pieds, Kayla, Trixx et Marabus, qui les écoutaient, bondirent eux aussi de stupéfaction.

Tarass voulut encore sortir la tête pour regarder hors du tronc, mais Alexandrine posa cette fois-ci ses deux mains pour l'en empêcher.

— PAS ENCORE ! lui cria la jeune fille. Il faut attendre.

— Il est ici même, à Greccia ? demanda Tarass.

— Mais non ! Il peut nous voir grâce à sa machine sentinelle.

— Une machine sentinelle ? répéta Tarass. De quoi parles-tu ?

Alexandrine leva lentement la tête hors de l'arbre.

— Tu peux maintenant ! Viens voir…

Tarass leva lentement la tête pour

regarder. Autour de l'arbre s'étendaient à perte de vue des plaines lugubres enneigées tachées de sang et couvertes de cadavres piétinés et de soldats pétrifiés. Jamais Tarass n'avait vu une telle scène de désolation. Des milliers d'hommes avaient péri dans d'horribles souffrances. Tarass pouvait imaginer ce que serait l'atoll de Zoombira si Khan parvenait à ses fins. D'est en ouest, ce serait un cimetière de cadavres en putréfaction…

Un moulin surmonté d'un objet brillant construit au sommet d'une montagne fit oublier à Tarass cette scène d'horreur.

— Qu'est-ce que c'est ? demanda-t-il à Alexandrine en pointant l'étrange bâtiment. On dirait un moulin à vent.

— C'est la machine dont je te parlais. ATTENTION ! ELLE SE TOURNE VERS NOUS !

Alexandrine tira Tarass à l'intérieur du tronc d'arbre.

— Ça bouge dans tous les sens, ce truc ! lui dit-elle. Il faut être prudent.

Après une courte attente, ils purent ressortir la tête hors du tronc.

Tarass remarqua que l'objet brillant sur

la machine de Khan était en fait un immense miroir qui pivotait comme une girouette, mais de façon régulière. Il comprit que les pales du moulin devaient actionner un mécanisme qui faisait pivoter le miroir de gauche à droite.

Au loin, sur les pics élevés de la chaîne de montagnes, il en remarqua plusieurs autres en direction de Drakmor. Avec cet étrange jeu de miroirs, Khonte Khan pouvait ainsi garder un œil sur les contrées conquises par ses armées et réagir très vite en cas de soulèvement ou de riposte.

Tarass et Alexandrine redescendirent pour rejoindre les autres.

— Inutile d'aller jeter un coup d'œil, je vous le déconseille très fortement, dit Tarass à ses trois amis.

— Tu as un plan maintenant ? demanda Trixx.

— J'ai tout un plan, mais il faut d'abord trouver l'émetteur principal du sokrilège pour rétablir le climat normal de la contrée, répondit Tarass, sinon il sera complètement inutile de sauver les gens, car le froid les tuera de toute façon…

Tous étaient d'accord avec lui.

Il se tourna vers Alexandrine.

— Dans ces galeries souterraines, demanda-t-il à la jeune fille, aurais-tu aperçu, par hasard, un gros crâne de cristal ?

Alexandrine semblait surprise par la question de Tarass.

— Oui ! Et qui émet un drôle de halo vert lumineux ?

Tarass, Kayla, Trixx et Marabus se réjouirent.

— OUI ! lui répondit Tarass avec un sourire en coin.

— Je l'ai vu une seule fois, continua-t-elle, l'air apeuré. J'évite le secteur, car c'est à cet endroit que l'on trouve le plus de personnes pétrifiées.

— C'est sans doute le repaire de cette méduse ! déduisit Trixx.

— Je sais que c'est très risqué, mais peux-tu nous y conduire ? l'implora Tarass. C'est important.

Alexandrine demeura silencieuse.

— Fais-le pour ta contrée, pour tout l'atoll, pour la liberté.

— NON ! Je vais le faire pour toi…

Le crâne émetteur

Alexandrine conduisit Tarass et ses amis à travers une succession de galeries macabres. Il y avait des centaines et des centaines de soldats pétrifiés. Aucun doute possible, elle les conduisait directement au repaire de la méduse.

Au bout d'un escalier taillé dans la pierre, derrière une arche qui s'ouvrait dans une grande salle, Tarass remarqua une étrange lumière verte qui se réfléchissait sur les murs et sur les soldats immobiles. Il reconnaissait cette teinte verte qu'il avait vue dans la forêt la veille, lorsqu'il avait trouvé le petit crâne de cristal.

Il leva le bras pour arrêter ses amis lorsqu'il aperçut une ombre qui partait de la pièce et qui s'étirait sur le sol jusqu'à ses pieds, une ombre qui bougeait. Il leva le menton en direction de l'arche pour aviser ses amis. Kayla, Trixx, Marabus et Alexandrine stoppèrent net.

— Elle est là, regardez par terre, murmura-t-il sans bouger.

Tous les quatre baissèrent les yeux et aperçurent l'ombre sur le sol juste devant eux. La forme étrange de la tête confirmait l'identité de la créature à qui elle appartenait.

— C'est bien elle ! Il n'y a aucun doute, chuchota Kayla en faisant tourner nerveusement dans ses mains ses deux mandalas enroulés autour d'une pierre. Alors maintenant, qu'est-ce qu'on fait ?

— On fonce et on espère que tout se passera pour le mieux, lança Trixx sans réfléchir.

— Ce n'est pas un plan, ça ! rétorqua-t-elle.

— J'ai une idée, leur dit Marabus. Comme nous ne pouvons pas lui mettre un bandeau, nous n'aurons qu'à en porter un, nous ! De cette façon, notre regard ne croisera jamais le sien.

Tarass réfléchissait. Ce n'était pas un plan parfait, mais y avait-il une autre solution ? NON !

— Je vais aussi utiliser un mandala de brouillard, leur dit Kayla. De cette façon, elle sera incapable de voir, comme nous.

— GÉNIAL ! lança Trixx.

— Je sais que je peux combattre au son, dit Tarass, mais il reste un détail : comment allons-nous faire pour neutraliser le gros crâne ? Il n'y a pas de boue ici.

— J'ai ce qu'il faut ! répondit Kayla. Je vais le réduire en poussière avec un mandala très puissant.

— Alors, voilà ce que nous devons faire, Tarass, lui dit Marabus. Je crois qu'il est inutile de perdre du temps à tuer la méduse, il est plus crucial de détruire l'émetteur principal du sokrilège, le gros crâne.

Tarass approuva.

Parce qu'elle ne portait pas d'arme, Kayla remit à Alexandrine l'un de ses mandalas d'implosion.

— C'est un mandala magique très puissant que tu tiens entre tes mains, dit-elle à la jeune fille. Si tu parviens avant moi à le déposer sur le gros crâne, écarte-toi vite et hurle très fort mon nom, je crierai alors l'envoûtement, d'accord ?

Alexandrine acquiesça.

Kayla arracha ensuite une pièce de tissu de l'un des soldats pétrifiés et entreprit de la déchirer. Tous les cinq pouvaient maintenant se bander les yeux avec les morceaux.

Tarass prit une grande inspiration et se catapulta en direction de l'arche, suivi des autres.

Il entendit soudain un hurlement effroyable.

YIIIRRGGHH !

Il comprit tout de suite qu'il venait de pénétrer dans la salle.

Kayla, qui le suivait, lança aussitôt son mandala de brouillard et prononça une incantation.

— JHÉ-NÉ-RALE-TAR !

Un brouillard opaque jaillit du mandala et envahit toute la salle.

Les pas lourds de la méduse qui courait dans toutes les directions résonnaient partout sur les murs. Pour les cinq amis, il était impossible de savoir précisément où cette créature se trouvait.

À travers son bandeau, Tarass pouvait cependant apercevoir la lumière verte qui émanait de façon sporadique du crâne. Il avança vers lui en longeant le mur et en frappant dans le vide avec son bouclier. Soudain, il sentit passer juste sous son nez un objet qui alla se planter dans le mur… UNE FLÈCHE !

SSIIIIP !

— ATTENTION ! hurla-t-il à ses amis. Cette monstruosité a un arc et tire des flèches dans toutes les directions.

Kayla se pencha aussitôt pour éviter d'être transpercée par l'une d'elles. Trixx s'appuya contre un mur et demeura immobile.

Alexandrine, elle, parce qu'elle avançait rapidement, avait réussi à pénétrer le plus profondément dans la pièce. Elle dut cependant arrêter sa progression, car elle se buta à un gros objet.

— LE CRÂNE ! se réjouit-elle.

Elle souleva un peu son bandeau pour s'assurer que c'était bien cela. Devant elle se dressait le fameux crâne... MAIS AUSSI LA MÉDUSE !

Le regard de la créature était directement braqué dans le sien. Une lumière vive frappa soudain ses yeux.

La pauvre Alexandrine sentit aussitôt une douleur insoutenable l'envahir. Ses jambes et son torse s'immobilisèrent. Avant que ses deux bras ne soient eux aussi complètement figés dans la pierre, elle ouvrit la main et laissa tomber le mandala de Kayla dans l'une des orbites du crâne qui se trouvait juste à côté d'elle. Elle poussa ensuite une longue plainte, avant d'être complètement pétrifiée...

— KAYYYLAAAAA !

À l'autre bout de la pièce, Kayla avait entendu. Elle hurla à ses amis :

— PLANQUEZ-VOUS ! ÇA VA PÉTER !

Elle cria ensuite l'incantation.

— HERMA-NOR-FRAN !

Une puissante implosion se fit entendre et un nuage de poussière se mêla aussitôt au brouillard du mandala de Kayla.

BRRAAAOOOUUMMM !

Sous le souffle de l'explosion, la méduse fut violemment projetée au loin. Blessée, elle parvint cependant à s'enfuir par un escalier caché qui s'enfonçait encore plus profondément dans son repaire.

Marabus entendit les plaintes de la créature qui s'estompèrent. Elle baissa son bandeau et prononça une incantation d'éclaircissement. Aussitôt, le brouillard et la poussière se dissipèrent par tous les joints et les fissures des murs.

Tarass, Kayla et Trixx baissèrent eux aussi un petit peu leur bandeau, puis ils le rabattirent tous les trois jusqu'à leur cou. La méduse avait disparu, ainsi qu'Alexandrine…

— NOOOON ! s'écria Kayla en apercevant la silhouette de la jeune fille.

Un long moment de silence suivit avant que Marabus daigne s'approcher d'elle. La jeune fille était figée, le bras tendu et la main ouverte. La grande mage comprit qu'elle avait réussi à déposer le mandala sur le crâne, sauvant ainsi sa contrée d'une longue période glaciaire. Elle était maintenant devenue non pas une simple statue, mais plutôt une légende…

Tarass remarqua des taches de sang qui allaient droit vers un escalier.

— Elle s'est enfuie par ici, cette monstruosité ! constata-t-il avec rage.

Il se pencha pour regarder jusqu'où allaient les marches. Kayla le tira vers elle.

— TU ES FOU ! TU VEUX QU'IL T'ARRIVE LA MÊME CHOSE !

Elle montra du doigt Alexandrine.

— Le crâne a été détruit, la contrée est sauvée, lui rappela-t-elle. Nous pouvons partir ! ALLEZ !

Tarass hocha la tête en signe de négation.

— NON ! lui répondit-il. J'ai trois autres petites choses à faire avant de partir.

— Quelles petites choses ? lui demanda Kayla.

— Pour commencer, je dois tuer cette ignoble créature pour qu'elle ne fasse jamais plus de mal.

Trixx jeta un regard dédaigneux en direction de l'escalier.

— Bloquer la route qui conduit jusqu'à Lagomias, poursuivit-il, c'est vital, et enfin, porter le premier coup à Khan.

Les yeux de Kayla se crispèrent d'incompréhension.

— Mais il est à des lieues d'ici, à Drakmor ! Tu ne peux rien contre lui tant que nous ne serons pas dans sa contrée.

Kayla se tourna vers Marabus. Elle avait besoin de son soutien pour dissuader son ami.

Tarass lança un regard moqueur à Marabus.

— J'ai une petite surprise pour lui : s'il se croit en sécurité dans son château de malheur, assis tranquillement sur son trône, il se trompe. À partir d'aujourd'hui, ce salopard subira les affres de la guerre comme nous tous.

— Qu'est-ce que tu vas faire, Tarass ? demanda Marabus.

— Je vais faire de mon mieux !

— Comment vas-tu t'y prendre pour tuer la méduse ? insista la mage.

— À l'aide du bandeau, je ne sais pas !

— C'est peut-être une femme horriblement laide, lui fit comprendre Kayla, mais certainement pas une idiote. Elle connaît maintenant le coup du bandeau. Elle te l'arracherait tout de suite pour te pétrifier avec son regard… Non, il faut trouver autre chose.

— Elle doit être très rusée, car elle n'en est certainement pas à sa première confrontation, réfléchit Tarass. Des centaines de guerriers avant moi doivent avoir essayé le bandeau. C'est trop risqué, tu as raison. Je dois trouver une autre façon de me cacher les yeux afin de m'approcher d'elle sans courir de risque. Il faut être plus malin qu'elle.

Une idée germa dans sa tête et son visage s'illumina.

— Je crois que je viens de trouver. J'ai une chance de réussir, si la méduse ne réalise pas que j'ai les yeux couverts par quelque chose…

— Oui, mais justement, comment vas-tu faire pour les recouvrir sans que cela paraisse? lui demanda Marabus.

— C'est très possible ! J'ai besoin de deux petites choses, dit-il aux deux mages : du jus de grenouille et du maquillage.

— DU JUS DE GRENOUILLE ET DU MAQUILLAGE ! répéta Marabus. Je n'ai pas de maquillage, mais j'ai du jus de grenouille.

Elle plongea sa main dans son pactouille.

— Moi, j'ai du maquillage ! lança Kayla.

Posté au haut de l'escalier pour surveiller, Trixx s'en étonna.

— Tu as du maquillage, toi, Kayla ? Mais tu n'en portes jamais.

— OUI ! J'en ai ! C'est au cas où, répondit-elle en rougissant.

Trixx crispa les yeux. Il trouvait bizarre la réaction de son amie.

Marabus tendit une petite fiole à Tarass tandis que Kayla lui confia sa trousse.

— EXCELLENT ! J'ai tout ce qu'il me faut…

Le piège de Tarass

Assise par terre devant Tarass, Kayla s'appliqua à représenter sur les paupières de son ami des yeux d'une réalité saisissante.

— Ne bouge pas ! J'ai presque fini, lui dit-elle.

Elle ajouta une petite tache blanche pour faire le reflet de l'œil, et le tour fut joué.

— VOILÀ ! C'est terminé.

Tarass ouvrit les yeux…

— On dirait de vrais yeux dessinés sur mes paupières, tu ne me mens pas ?

Trixx, qui surveillait toujours l'escalier, s'approcha de lui.

— Montre-moi !

Tarass ferma les yeux. La ressemblance avec ses vrais yeux était incroyable.

— Quel talent tu as, Kayla ! s'exclama Trixx. C'est à s'y méprendre ! N'est-ce pas, Marabus ?

La grande mage s'approcha de Tarass…

— EXTRAORDINAIRE ! s'exclama-t-elle à son tour.

Voyant que Kayla avait fini son travail, Marabus entreprit de verser le contenu de sa petite fiole autour de Tarass.

— Voilà ! dit-elle une fois qu'elle eut terminé. Cette odeur de grenouille fraîche sera irrésistible pour tous ces serpents qui coiffent la méduse.

Elle s'approcha ensuite de Tarass.

— N'oublie pas, Tarass, prends garde ! Même si la méduse meurt, son regard peut te pétrifier.

Trixx entendit soudain des sifflements dans l'escalier. Il s'écarta aussitôt.

— Je crois qu'elle s'en vient ! bredouilla-t-il devant Tarass. Tu es certain que tu veux faire ça ? Tu peux changer d'idée, tu sais.

— J'ai un rendez-vous avec une femme monstrueuse et elle a un rendez-vous avec moi, avec la mort plutôt ! Partez tous ! VITE !

Kayla, Marabus et Trixx s'éclipsèrent discrètement et laissèrent Tarass tout seul dans la grande salle.

Dans l'escalier, les sifflements se faisaient de plus en plus audibles et des pas lourds résonnaient.

Jambes écartées, Tarass ferma les yeux et plaça son bouclier à sa gauche, prêt à porter le coup fatal. La tête de la méduse apparut enfin au haut de l'escalier. Plusieurs serpents aux crochets gorgés de venin mortel se tortillaient sur sa tête terrifiante. Sa peau verte était couverte d'écailles luisantes. Ses yeux verts traversés de petits éclairs cherchaient Tarass. Son corps velu était recouvert de milliers de gros insectes nécrophages et rongé par des asticots.

Elle avança vers Tarass, son arc chargé de trois flèches pointées directement vers lui. Il aurait été très facile pour elle d'abattre ce jeune poltron qui osait la défier avec autant d'arrogance, mais elle préférait le faire périr dans les pires souffrances. C'est ce qui lui procurait la plus grande jouissance... LA PÉTRIFICATION !

Elle se plaça devant lui pour le pétrifier avec son regard comme elle l'avait si souvent fait auparavant.

Elle ouvrit tout grand ses yeux. Sur sa tête, les serpents en liesse frétillaient d'excitation. Elle pencha ensuite la tête vers Tarass et décocha ses éclairs.

CHRAAAK !

Devant elle, le jeune guerrier demeura stoïque. Elle en fut très surprise, car habituellement, ses adversaires tentaient toujours de s'enfuir à toutes jambes en l'apercevant.

Tout étonnée aussi de voir que la chair de Tarass ne s'était pas transformée en pierre, elle récidiva avec une double charge.

CHRAAAK ! CHRAAAAK !

Le jeune guerrier demeura toujours immobile, dans la même position, et pas du tout affecté par son enchantement. Il avait pourtant les deux yeux bien ouverts, enfin, c'est ce qu'elle croyait…

La méduse avait eu sa chance. Maintenant, c'était au tour de Tarass de riposter.

Il lui lança un sourire narquois, puis il lui dit :

— J'AI DEUX MESSAGES POUR TOI, ESPÈCE DE SALE REINE DES LAIDERONS ! VOICI LE PREMIER…

La méduse fronça les sourcils.

Avec une foudroyante soudaineté, Tarass leva son bouclier et lui trancha le bras à la hauteur de l'épaule. Son membre tomba sur le sol et le sang gicla de sa blessure.

La méduse poussa un hurlement de douleur qui fit écho dans toute la contrée de Greccia.

YIAAAAARGH !

Dans le couloir retiré, Kayla, Marabus et Trixx durent se boucher les oreilles.

— ET LE DEUXIÈME !

Tarass exécuta un geste à peine perceptible avec son bouclier. Maintenant, son arme était directement braquée sur le visage de la méduse, qui avait les yeux rivés sur l'arme. Une goutte de sang s'écoula de la pointe du bouclier et atterrit entre ses pieds. Tarass recula et plaça son bouclier dans son dos. Pour lui, tout était terminé, il venait de venger la pauvre Alexandrine.

La méduse demeurait toujours dans la même position et son visage arborait une grimace interrogative. Pourquoi ce jeune guerrier ne l'achevait-il pas comme il en avait tant envie ? Ce qu'elle ne savait pas, c'est que Tarass venait de le faire à une vitesse foudroyante.

Soudain, une fine ligne rouge apparut autour de son cou. Ses yeux tournèrent dans le vide et son corps oscilla pendant quelques grains de sable du sablier. Puis, d'une manière tout à fait repoussante, sa tête glissa sur son épaule et tomba. Elle roula ensuite sur le sol dans un bruit dégoûtant.

BLAAARM ! BLAARM !

Le corps de la méduse s'affaissa finalement sur le sol.

À tâtons, sans regarder, Tarass enroula un morceau de tissu autour de la tête de la créature de manière à cacher ses yeux, puis ouvrit enfin les siens.

Le corps de la méduse gisait dans une mare de sang qui s'étendait rapidement. Tarass s'éloigna pour éviter de souiller ses bottes et appela ses amis.

Croyant son ami Tarass dans un grave pétrin, Trixx fut le premier à arriver, épée brandie et foulard sur les yeux.

— Tout va bien ! Je suis en vie, lui dit Tarass en l'apercevant. Je l'ai vaincue, ça a marché.

Trixx souleva légèrement son foulard et ouvrit un œil. Sur le sol, il aperçut le corps répugnant et sans tête de la méduse. Son ami avait bel et bien réussi.

Kayla et Marabus arrivèrent ensuite.

Tarass leva son bras pour leur montrer son trophée… LA TÊTE DE LA MÉDUSE !

— Toutes mes félicitations, Tarass, lui dit Marabus avec admiration. Sais-tu que des milliers de guerriers, depuis des millénaires, ont vainement tenté de faire ce que tu as réussi aujourd'hui ?

Tarass aurait aimé en être fier, mais la méduse avait fait trop de victimes pour qu'il puisse s'en réjouir. Il pensait, entre autres, à la jeune Alexandrine.

Kayla et Marabus comprenaient sa tristesse.

— Ce sacrifice qu'elle a fait pour moi, murmura-t-il, attristé.

Tarass se souviendrait toujours d'elle. Trixx ne voulut pas volontairement briser l'ambiance, mais il se devait de leur rappeler que le temps pressait.

— Il faut y aller si nous voulons atteindre l'autre partie du labyrinthe avant la nuit.

— NON ! lui répondit Tarass. Il nous reste encore deux petites choses à faire, tu l'oublies…

20

Deux têtes valent mieux qu'une...

En passant devant ses amis, Tarass rebroussa chemin au pas de course en direction du tronc de l'arbre. Tous les trois se demandèrent sincèrement ce qu'il avait en tête en apportant avec lui la tête de la méduse dans ce tissu souillé de sang.

— Mais qu'est-ce que tu vas faire avec cette horreur en décomposition ? lui demanda son ami Trixx, complètement dégoûté. Tu vas l'empailler et l'accrocher au-dessus du foyer chez tes parents ?

— C'est une idée, mais la mienne est beaucoup plus originale. Tu vas voir, tu vas t'éclater.

Marabus haussa les épaules devant Kayla, qui ne comprenait pas plus que sa tante ce que manigançait Tarass.

Rendu à l'arbre, Tarass se mit à escalader l'intérieur creux du tronc, puis il s'arrêta. Les paroles de la petite Alexandrine lui revenaient en tête : « C'est ici que je viens pour faire de l'exercice et m'amuser lorsque je m'ennuie. »

À mi-chemin vers la sortie, Tarass entendit des pas lourds à l'extérieur, comme si toute une armée marchait d'un pas décidé pour participer à une bataille. Il fit signe à Kayla de le rejoindre.

Lorsqu'elle arriva à sa hauteur, il promena son doigt sur une section de l'arbre et s'arrêta à un endroit précis.

— Peux-tu utiliser un mandala de transparence pour que nous puissions voir ce qui se passe de l'autre côté ?

— OUI !

Elle fouilla dans son sac et en ressortit une craie. Sur la paroi du tronc, elle se mit à dessiner rapidement un cercle et plusieurs formes qui s'entremêlaient avec une précision étonnante. Elle prononça ensuite une incantation.

— KRAKUM-LIOF-MAAR !

Le bois de l'arbre se mit aussitôt à onduler. Tarass observait bouche bée la magie de Kayla qui s'opérait sous ses yeux.

Le bois devenait de plus en plus transparent. Tous les deux purent bientôt apercevoir des silhouettes qui marchaient de l'autre côté.

— Est-ce qu'ils peuvent nous voir ? s'inquiéta soudain Tarass.

— Non ! Plus maintenant, car j'ai raffiné la formule de ce mandala avec quelques petites lignes de mon cru. Nous pouvons les voir, mais nous ne pouvons pas être vus.

Tarass lança un clin d'œil à son amie.

De l'autre côté de l'arbre, des troupes nombreuses d'ograkks armés jusqu'aux dents avançaient. Ils étaient des milliers qui poussaient et tiraient des machines de guerre. Tarass savait qu'aucun château fort ne résisterait à cet arsenal de catapultes et de tours de siège. Il redescendit avec Kayla pour réfléchir.

— Il y a plein d'ograkks là-haut avec des machines de guerre, rapporta Kayla à Marabus et Trixx. Nous ne pouvons pas laisser cette armée redoutable envahir la contrée oubliée ou Romia.

— Nous allons trouver une solution, chère nièce, lui dit sa tante pour la rassurer.

Trixx se demanda soudain pourquoi Tarass ne cessait pas de le fixer.

— QUOI ! QU'EST-CE QUE J'AI ? J'ai un bouton sur le visage ? J'ai un truc gluant qui me sort du nez ! Qu'est-ce que j'ai ?

Tarass ouvrit les yeux et regarda Trixx en réprimant un sourire.

— Ah ! mais à la fin, quand vas-tu enlever ce maquillage sur tes paupières ? le supplia Trixx. Lorsque tu fermes les yeux pour réfléchir, j'ai l'impression que tu me regardes, et c'est très intimidant.

Tarass ignora les propos de Trixx et, donnant suite à sa réflexion, il proposa une solution.

— Est-ce possible de ralentir toute une armée avec un mandala de décélération ? demanda Tarass aux deux mages.

Kayla regarda Marabus avant de lui répondre.

— Non !

— OUI ! la reprit sa tante. Avec plusieurs mandalas, des dizaines de mandalas, ça pourrait être possible.

— Combien de parchemins avez-vous en votre possession ? s'enquit Tarass. Est-ce que ça serait suffisant ?

Kayla fit rapidement l'inventaire de son sac.

— Moi, j'en ai trente-quatre.

— Et moi, j'en ai plus de cinquante-trois, lui montra Marabus en les brandissant sous son nez. Ça devrait être assez.

— Et comment vas-tu les distribuer ? lui demanda Trixx. Tu vas t'improviser camelot ?

— Mais non, triste idiot. C'est facile. Je les laisserai voler au gré du vent en haut du tronc d'arbre. La brise qui souffle va faire tout le travail et les éparpiller partout.

— Et en ce qui concerne le sortilège ? interrogea Kayla. Ton plan est bon, mais comment allons-nous faire pour que ma voix atteigne les mandalas les plus éloignés ?

— Ne t'en fais pas ! La route est située dans une vallée entourée de montagnes. Tu n'auras donc qu'à crier une seule fois ton sortilège et l'écho fera le reste.

C'était audacieux, certes, mais le résultat anticipé valait l'effort.

— AU BOULOT ! leur enjoignit-il. Vous devez dessiner tous ces mandalas en un temps éclair, ALLEZ !

À peine un sablier plus tard, Tarass avait en sa possession tous les mandalas. La pile de parchemins entre les dents, il escalada le tronc de l'arbre jusqu'à l'ouverture. Là, il lança discrètement un parchemin à la fois. Comme il l'avait prévu, et aussi espéré, un vent favorable transporta tous les parchemins dans la direction des troupes d'ograkks. Tous les mandalas lancés, Tarass fit monter Kayla jusqu'à lui.

Cette dernière ancra ses deux pieds solidement dans l'arbre et plaça ses deux mains de chaque côté de sa bouche pour crier l'incantation.

— INGA-TRA-BAX !

L'écho répéta l'incantation de Kayla jusqu'au mandala le plus éloigné.

L'effet du sortilège fut immédiat et total. Tous les ograkks furent ensorcelés. Le cortège meurtrier de Khonte Khan avançait maintenant à la vitesse d'une tortue.

La tête sortie du tronc, Tarass riait aux éclats.

— HA ! HA ! HA ! Je crois que quelqu'un ne sera pas très content.

— Qui ? Khan ? Comment pourrait-il savoir ?

— Tu oublies qu'avec sa machine sentinelle au sommet de cette montagne, il peut absolument voir tout ce qui se passe ici.

Kayla se rappela tout à coup les explications d'Alexandrine.

Tarass narguait Khan en lui faisant de grands signes avec ses bras.

— YOUHOU ! YOUHOU ! Espèce

de gros fongus d'excrément d'asticot ! l'invectivait-il sans savoir si Khan pouvait ou non l'entendre. J'APPROCHE ! JE SUIS TOUT PRÈS !

Le sourire narquois de Tarass disparut soudain pour faire place à son regard de foudre.

— PRÉPARE-TOI ! lui gronda-t-il avant de s'éclipser par le tronc de l'arbre.

La colère de Khan

Un effroyable hurlement de fureur fit trembler le sol de Drakmor.

— NNOOOORRRR !

Dans son château juché sur un promontoire et protégé par des douves de sang, Khan venait d'entrer dans une colère meurtrière. Les corps ensanglantés de prisonniers qu'il venait de massacrer à coups de massue pourvue de pics mortels furent soudain jetés de la plus haute tour de sa grande et sombre construction fortifiée. Ils allèrent s'écraser sur une montagne d'ossements blanchâtres. Cet amoncellement morbide s'accumulait depuis le début de la guerre, depuis le début de sa guerre…

La progression de Tarass et de ses

amis le mettait hors de lui. Voyant qu'en plus, ce jeune Lagomien impudent venait de réussir à entraver ses plus importantes manœuvres militaires, il donna l'ordre que l'on réunisse sur-le-champ tout son état-major.

— TOOOOOUS ! APPELEZ TOUS MES COMMANDORKS ! JE VEUX LES VOIR ICI TOUT DE SUITE ! AARGH !

Il frappa avec son poing sur le mur si violemment que les pierres s'enfoncèrent et craquèrent.

KUUUUUURRR !

Autour de lui, ses serviteurs et esclaves s'agitèrent frénétiquement.

À peine un demi-sablier plus tard, les commandorks arrivèrent dans la plus vaste salle du château. Les dix-sept têtes dirigeantes de toutes les armées de Khonte Khan se réunirent autour de la longue table du conseil.

Arok le vieux, Drabor son plus valeureux général, Iffar le perfide, Zaron le massacreur, Kourmu le prédateur ainsi que tous les autres… TOUS ÉTAIENT

LÀ ! Tous ceux avec qui Khan avait élaboré ses plans pour conquérir tout l'atoll.

Après avoir vociféré toute une panoplie d'insultes, Khan posa ses deux mains à l'extrémité de la longue table de bois au piètement fait de gros os.

— Est-ce que l'un de vous, messieurs, peut s'excuser… DE CETTE GROSSIÈRE INCOMPÉTENCE ?

Sa voix résonnait sous les voûtes du château.

Sur leurs gros fauteuils, ses commandorks s'agitèrent et devinrent tout à coup très nerveux. Plusieurs grains du sablier s'écoulèrent avant que l'un d'eux daigne lever la main pour offrir une réponse au maître.

— KRAVOR LE RAPACE ! Cher et lointain compagnon de ma jeunesse, dit Khan en s'approchant de lui et en posant amicalement sa main sur son épaule.

— Cher maître, je ne peux pas comprendre votre exaspération, les nouvelles que nous rapportent tous les jours nos messagers sont plus qu'excellentes et dépassent nos attentes.

Khan retira lentement sa main de l'épaule de son vieil ami.

— Cher Kravor, je suis en rogne parce qu'il y a une grosse tache sur ma belle table.

Le visage de Kravor se crispa d'incompréhension.

— Une grosse tache… DE SANG ! lui précisa Khan.

Khan s'élança ensuite et fracassa le crâne de son ami avec un foudroyant coup de massue. Kravor tomba raide mort face contre table. Une mare rouge coula vers Zaron le massacreur, qui voulut se lever pour s'écarter.

— TU AS QUELQUE CHOSE À AJOUTER, ZARON ?

Lorsque Khan s'approcha de lui, Zaron se rassit aussitôt. Le sang de Kravor coulait maintenant à grosses gouttes sur les genoux de Zaron.

Khan s'élança ensuite pour tourner vers eux le grand miroir de sa machine sentinelle.

— REGARDEZ, ESPÈCE DE BANDE DE PLEUTRES ! hurla-t-il très fort, les yeux exorbités. CES JEUNES

IMBÉCILES SONT PARVENUS À RALENTIR MES ARMÉES ! TOUTES MES ARMÉES DU SUD ! SEULEMENT QUATRE LAGOMIENS CONTRE DES MILLIERS DE MES OGRAKKS !

Khan posa son gros index sur la mare de sang.

— Je veux des résultats, et je les veux très vite.

Il joua un instant avec le sang de Kravor, puis porta son doigt à sa bouche.

— Les plus insignifiants revers de nos armées seront dorénavant sévèrement punis. Les armées défaites seront annihilées, ainsi que la chaîne de commandement, et ce, jusqu'à VOUS !

Plusieurs commandorks ne purent se retenir de bouger nerveusement sur leur siège. De grosses gouttes de sueur perlaient sur leur visage.

Khan fit le tour de la grande table en les regardant tous l'un après l'autre dans les yeux.

— Je veux entendre des idées nouvelles, insista-t-il. Ne me ruminez pas de vieilles techniques de guerre, je vous préviens…

Il s'assit ensuite à sa place.

— C'est étrange, le sang de Kravor goûte la victoire… C'est très bon ! ajouta-t-il, l'air sadique.

Coup porté...

Tarass et ses amis étaient parvenus à escalader la montagne sur laquelle se trouvait la fameuse machine sentinelle de Khan. Elle était là, comme un moulin à vent surmonté d'un miroir. Les grandes pales tournaient et faisaient bouger de gauche à droite le grand miroir par lequel Khan pouvait surveiller les contrées conquises…

— Est-ce que Khan peut nous voir ici ? demanda Trixx, caché derrière un arbre.

— Non ! lui répondit Tarass. Pas selon l'angle du miroir. Il a été placé pour viser l'horizon, pour donner une meilleure vue d'ensemble de cette partie de la contrée.

— Qu'est-ce qu'on va faire maintenant, Tarass ? demanda Kayla. Détruire cette invention du diable ?

— Non ! dit-il.

Il étudiait l'édifice en bois haut d'une trentaine de mètres. Dans sa main droite, il traînait toujours la tête de la méduse, ce qui préoccupait au plus haut point Trixx, qui craignait qu'elle ne tombe du tissu qui la retenait et la recouvrait.

— Tarass ! J'ai vraiment peur que tu échappes cette horreur, tu sais, finit-il par dire.

— J'en ai encore besoin, lui répéta Tarass, les yeux levés vers le miroir juché en haut du curieux bâtiment.

— Qu'est-ce que tu veux faire, Tarass ? lui demanda Marabus. Tu veux monter là-haut ?

— Oui ! Mais je cherche comment.

Kayla s'approcha de lui.

— AVEC UN MANDALA PLUME ET PIERRE, VOYONS !

Tarass se tourna vers elle.

— Mais tu es folle ! Je sais de quoi tu es capable avec ce sortilège, et je ne veux pas être catapulté jusqu'aux nuages, ça non !

Kayla l'ignora et fouilla dans son sac.

— Ne t'en fais pas, le rassura-t-elle. Je vais doser.

Elle évalua la distance entre le sol et le miroir, puis, avec l'une de ses craies magiques, elle dessina un mandala sur une pierre, juste aux pieds de son ami.

— Tu es prêt ? demanda-t-elle ensuite.

Tarass n'en était pas certain. Il grimaça comme un enfant, mais fit tout de même oui de la tête.

Kayla prononça alors l'incantation.

— XINO-ZAA-RIMA !

Tarass fut soudain parcouru de petits éclairs roses avant d'être soulevé très haut au-dessus du sol, jusqu'à la plateforme où se trouvait le miroir, comme Kayla l'avait escompté.

Tarass se jeta à côté du miroir pour ne pas être vu. Il attendit quelques grains du sablier, puis pencha lentement la tête pour regarder dans la surface miroitante.

Dans le miroir, Tarass était stupéfait d'apercevoir Khan assis avec ses hommes autour d'une grande table. Il se rappelait l'avoir déjà vu avec l'œil du cyclope Arkamède, le fameux cristal d'Herculanum de Romia…

Le moment était parfait ! Il ne devait plus attendre un seul grain du sablier.

Il se pencha vers ses amis et leur cria :

— FERMEZ LES YEUX TOUT DE SUITE ET NE LES OUVREZ QUE LORSQUE JE VOUS LE DIRAI !

Au pied de la machine, Kayla, Marabus et Trixx s'exécutèrent…

Dans le château noir de Drakmor, l'élaboration de nouveaux plans allait bon train et Khonte Khan s'en réjouissait. L'exécution de Kravor sous les yeux de son état-major suivie de ses réprimandes injurieuses avait porté fruit, et les efforts de ses commandorks avaient redoublé.

Tout à coup, Arok le vieux se tourna vers le miroir.

Tarass était debout devant la glace, une main cachée derrière son dos. Avec l'autre, il faisait des gestes obscènes.

Offensé, Arok bondit de son fauteuil, qui tomba à la renverse sur le plancher.

— ESPÈCE DE CHIURE DE MOUCHE ! s'écria-t-il.

Tous les guerriers se tournèrent vers le miroir. Lorsque Khan aperçut son jeune ennemi qui le narguait de façon éhontée, son visage devint rouge et de l'écume s'écoula de sa bouche entrouverte.

Rageur, il se regroupa avec ses commandorks devant le miroir.

Tarass lui lança un dernier sourire victorieux et ferma les yeux. Il sortit ensuite sa main de derrière son dos pour brandir au bout de son bras, juste devant le miroir, LA TÊTE DE LA MÉDUSE !

Une succession ininterrompue d'éclairs jaillit des yeux de la créature, se réfléchissant sur chacun des miroirs alignés à travers la montagne jusqu'au château de Drakmor.

Khan et tous les commandorks furent atteints.

L'un après l'autre, dans une agonie douloureuse, ils commencèrent à se transformer en statues de pierre.

YIARRGH ! AAARGH !

La main gauche de Khan s'immobilisa et devint toute grise. La pétrification gagna ensuite son avant-bras et son coude. Il souleva rapidement l'autre bras au-dessus de sa tête et hurla l'un de ses plus puissants sokrilèges…

— DARUM-TREK-TOURMA !

La transformation de son corps en matière pierreuse s'arrêta d'un seul coup à la hauteur de son épaule. Grâce à sa sorcellerie noire, il avait stoppé juste à temps l'ensorcellement. Il se tourna vers Tarass, qui le pointa outrageusement avec son index.

Khan inspira profondément et fit voler en éclats la table avec son poing de pierre. Autour de lui, il constata que dix-sept statues venaient de s'ajouter à son décor lugubre.

Il se tourna vers le miroir. Tarass était toujours là qui gesticulait et qui lui parlait. Le miroir ne pouvait cependant que lui transmettre son image, pas ses mots…

Dans une rage noire, Khan s'éloigna

du miroir pour disparaître dans les bas-fonds de son château.

Revenu sur le sol, Tarass raconta à ses amis ce qui venait de se produire. Ils jubilèrent tous les trois à l'annonce de l'éradication totale de l'état-major de Khan. La guerre serait un peu plus facile à présent…

Tarass jeta ensuite un coup d'œil au pied de la montagne, en direction des troupes de Khan qui progressaient lentement, toujours sous l'enchantement des mandalas de Kayla.

— Qu'est-ce qu'on fait avec eux ? demanda Trixx. On les massacre avant que les mandalas perdent leur pouvoir ?

— OUI ! approuva Kayla. C'est le moment ou jamais de se débarrasser du gros des troupes.

— VOUS ÊTES FOUS ! leur dit Marabus. Ils sont beaucoup trop nombreux, et supposons que vous en seriez capable, ce serait un travail pénible et trop long.

Tarass aperçut quelques ograkks à

cheval qui avançaient, eux aussi, au même rythme que les autres.

Il se tourna vers Kayla.

— Crois-tu être capable de soustraire à l'envoûtement de décélération l'un de leurs chevaux ? lui demanda-t-il, les yeux brillants. Parce que j'ai besoin d'un cheval.

— Euh, oui !

Kayla se demanda encore une fois ce qui pouvait bien trotter dans la tête de son ami.

— ALORS, VIENS AVEC MOI ! lui cria-t-il en dévalant le flanc de la montagne rapidement. MARABUS ! BLEU ! ATTENDEZ-NOUS ICI ! J'AI UNE IDÉE !

Kayla le suivit…

Marabus et Trixx se rapprochèrent l'un de l'autre.

— Il a encore une idée ? s'étonna Marabus, épatée.

— Ouaip ! C'est toujours comme ça ! Un plan n'attend pas l'autre, dit Trixx.

— Il a emporté la tête de la méduse…, fit remarquer Marabus à Trixx.

Un sablier plus tard, Kayla revint vers Marabus et Trixx.

— MAIS OÙ EST TARASS ? lui cria ce dernier.

Elle gravissait seule la pente.

— IL EST PARTI À CHEVAL PAR LÀ !

Elle pointait la direction où allaient les troupes de Khan.

— POURQUOI ? demanda-t-il. ET NOUS, QU'EST-CE QU'ON FAIT MAINTENANT, ON L'ATTEND ?

Kayla arriva enfin à leur hauteur.

— Nous devons nous diriger vers l'est, lui répondit-elle. Il viendra nous rejoindre là-bas, à la dernière montagne…

En route vers le labyrinthe

Après plusieurs sabliers de marche en montagne, Kayla, Trixx et Marabus entendirent soudain un cheval qui venait vers eux. Tarass revenait enfin.

— Mais où étais-tu ? lui demanda Trixx, qui commençait à s'inquiéter.

— OUI ! Qu'est-ce que tu faisais ? renchérit Kayla en constatant qu'il ne traînait plus avec lui la tête de la méduse enroulée dans sa toile.

Tarass descendit de sa monture.

— Je suis allé combler la brèche du labyrinthe. Celle par laquelle les ograkks avaient l'intention de passer pour aller envahir les contrées du sud de l'atoll…

— Tu es allé bloquer l'ouverture, répéta Marabus, qui ne le croyait pas. En si peu de temps ? IMPOSSIBLE !

Elle se tourna vers sa nièce.

— ET J'AI RÉUSSI ! cria Tarass.

Trois regards sceptiques se braquèrent sur lui.

— Comment ? voulut savoir Kayla.

Marabus et Trixx avaient aussi hâte d'entendre comment il avait pu réaliser cet exploit si rapidement et avec si peu de moyens.

— Au milieu de l'ouverture, j'ai suspendu la tête de la méduse au bout d'une corde. Lorsque les premiers ograkks sont arrivés, ils ont tout de suite été transformés en pierre. Les troupes suivantes ont subi le même sort. En à peine un sablier, un mur d'ograkks pétrifiés s'est élevé, bloquant l'ouverture.

Marabus était estomaquée.

— L'invasion massive que Khan préparait n'aura certainement pas lieu dans un avenir rapproché, leur dit Tarass, le regard menaçant, car une bonne partie de son armée sera transformée en pierre.

Au sommet de la dernière montagne se trouvait la dernière machine sentinelle de Khan construite sur les terres de la contrée de Greccia. Tarass s'y dirigea en courant avec la ferme intention de briser le miroir.

Lorsqu'il arriva au pied du bâtiment, il vit dans le reflet de la glace, en haut de la construction, que Khan le regardait avec hargne. Près de lui se tenait un mage noir.

Tarass l'invectiva.

— TU PEUX COMMENCER À CREUSER TA TOMBE, KHAN, CAR TES JOURS SONT COMPTÉS ! JE VAIS DÉTRUIRE TON CHÂTEAU ET LIBÉRER TOUS LES PRISONNIERS. ET JE VAIS SAUVER RYANNA !

Le jeune guerrier de Lagomias se pencha pour ramasser une grosse roche. Il prit son élan, lança le projectile et atteignit le miroir, qui se fracassa en des centaines de morceaux.

SCHRIIIINK ! KRIIINK !

Khan n'avait rien compris de ce que Tarass venait de lui hurler. Il se tourna vers son mage noir Akaruk, qui était capable de lire sur les lèvres.

— Mais qu'est-ce qu'a dit cette plaie sur pattes ? l'interrogea-t-il.

— Il a dit, cher maître, que vous devriez vous préparer à retrouver vos ancêtres, lui répondit le vieux mage d'une voix chevrotante.

Khan poussa un soupir agacé.

— Il a dit aussi qu'il parviendrait à libérer tous les prisonniers et à sauver une certaine Ryanna.

Khan se tourna vers le vieux mage.

— MAIS QUI EST CETTE FILLE ! CETTE RYANNA ? s'enquit-il, soudainement intéressé.

Il frappa avec son poing de pierre sur l'un de ses commandorks pétrifiés. Ce dernier fut réduit en poussière.

— JE VEUX QUE VOUS ME TROUVIEZ CETTE RYANNA, TOUT DE SUITE ! ordonna-t-il.

La pente de la dernière montagne descendait vers l'entrée du labyrinthe qui allait les conduire encore plus à l'est. Tarass, Kayla, Marabus et Trixx, immobiles, regardaient l'arche avec une moue dégoûtée, car ils ne savaient pas combien de temps allait s'écouler avant qu'ils ne parviennent à ressortir de ses murs monotones.

Tarass se mit à tâter les sifflets de Rhakasa accrochés au collier que lui avait donné Ryanna.

— Nous ne nous sommes pas fait d'alliés dans cette contrée, observa-t-il tristement.

— Greccia est l'une des deux contrées jouxtant Drakmor, lui rappela Marabus. Il y a très longtemps que les habitants de Greccia sont en guerre. Je crois qu'après tout ce temps, Khan a réussi à les exterminer tous. La pauvre Alexandrine avait peut-être raison, elle était la dernière survivante, puisque nous n'avons rencontré personne d'autre.

Tarass fut le premier à pénétrer dans le labyrinthe. Le dédale morne et austère conduisit les quatre amis au nord-est, où ils finirent par arriver à une intersection située au sommet d'un vaste plateau. Chacune des deux routes débouchait sur une contrée.

La voie de droite menait vers des montagnes plus sombres que les ténèbres. Il s'agissait enfin... DE DRAKMOR, leur objectif ultime ! Le chemin de gauche débouchait sur la mystérieuse contrée d'Indie.

— La voie la plus courte n'est peut-être pas la meilleure, dit finalement Marabus, puisque Khan sait que nous sommes à ses portes. Il pourrait nous attendre de pied ferme et nous accueillir avec toute une armée d'ograkks.

— Je crois moi aussi qu'il serait préférable de le prendre à revers, suggéra elle aussi Kayla. Ce monstre ne nous croira jamais assez fous pour rallonger notre route par la contrée d'Indie. Si nous arrivons à Drakmor par le nord, par Indie, nos chances seront meilleures, c'est certain...

La destinée des héros de cette aventure est entre tes mains. C'est maintenant toi qui as l'honneur de choisir vers quelle contrée diriger Tarass, Kayla, Trixx et Marabus...

Choisis entre le roman n° 8 et le roman n° 9, ou choisis les deux, pour connaître tous les détails de cette grande épopée de Zoombira…

Atoll de Zoombira : grande masse de terre formée par tous les continents regroupés.

Alexandrine : jeune Greccienne, la dernière survivante de la contrée de Greccia.

Ἄψυχος : mort en grec.

Bleu : surnom de Trixx Birtoum, ami de Tarass Krikom.

Bouclier de Magalu : arme puissante possédant des qualités magiques.

Chiffres grecs : Èna (un), Dhio (deux), Tria (trois), Tèssèra (quatre), Pèndé (cinq), Èksi (six), Èfta (sept), Okto (huit), Ènéa (neuf), Dhèka (dix).

Commandork : membre de l'état-major de Khonte Khan.

Coraline : mère de Tarass Krikom.

Daroux : père de Tarass Krikom.

Διαλογή : choix en grec.

Dogme des trois vertus : ensemble de principes moraux permettant d'atteindre le plus haut degré de la sagesse.

Drakmor : contrée de Khonte Khan.

Escabelle : échelle double, plus haute qu'un escabeau.

Εξι: le chiffre six.

Gorgone : ou méduse, monstre mythologique au corps de femme et à la chevelure de serpents. Son regard peut transformer tout être vivant en statue de pierre.

Graboulie : jeu du fanion.

Grain de sable du sablier : unité de mesure du temps. Cinq grains de sable sont l'équivalent d'une seconde.

Jurassium : contrée des grands reptiles, des dinosaures.

Katalaveno : « je comprends » en grec.

Kayla Xiim : amie de Tarass Krikom et de Trixx Birtoum. Apprentie de Marabus, magicienne des mandalas.

Khonte Khan : guerrier adepte de sorcellerie noire et désireux de conquérir tout l'atoll de Zoombira.

Lagomias : grande contrée de l'atoll de Zoombira et contrée de Tarass Krikom.

Maître suprême : ambition et objectif de Khonte Khan.

Mandalas : dessins géométriques et symboliques de l'univers. Pouvoirs magiques de Kayla Xiim.

Mandala de barrage : dessin magique créant un obstacle de protection ou un mur transparent.

Mandala de brouillard : dessin magique créant un épais brouillard instantané.

Mandala de décélération : dessin magique qui ralentit grandement ceux qui en sont envoûtés.

Mandala Patakrak : dessin magique de niveau facile qui a pour effet de faire craquer un œuf.

Mandala plume et pierre : sortilège qui rend léger comme une plume puis lourd comme une pierre…

Mandala de transparence : dessin magique qui peut rendre aussi clair que de l'eau un objet opaque.

Marabus : grande mage, tante de Kayla Xiim.

Méduse : dans la mythologie greccienne, la Méduse était une belle jeune fille dont Poséidon, dieu de la mer, était tombé amoureux et qu'il avait séduite dans le temple dédié à une autre divinité, Athéna. Cette dernière, fille de Zeus, roi des dieux, donna à la jeune fille une punition ignominieuse et la transforma en Gorgone, un monstre à la laideur repoussante et dont la chevelure était constituée de serpents. Aussi, la méduse était dotée d'une arme infaillible contre les hommes : ses yeux grands ouverts lançaient des éclairs et pétrifiaient ceux qu'ils fixaient directement.

Moritia : ville natale de Tarass, dans la contrée de Lagomias.

Morphom : pouvoir de métamorphose de Trixx Birtoum.

Ograkks : soldats guerriers des armées de Khonte Khan.

Pactouille : sac à dos d'un mage.

Pierre de chimère : œil de Marabus sur le torse de Tarass Krikom.

Pierre de lune : petit caillou magique ayant la propriété d'être lumineux.

Ryanna : amie de Tarass Krikom. Raison première de cette grande quête.

Sablier : instrument composé de deux vases ovoïdes. Le vase supérieur est rempli de grains de sable et se déverse lentement dans l'autre pour mesurer le temps. Un sablier est l'équivalent d'une heure.

Sifflet de Rhakasa : petit instrument qui émet un son aigu pouvant être entendu partout sur l'atoll de Zoombira.

Sorcièreuse : sorcière

Sphères de Rutuf : selon la légende, ces deux sphères de marbre seraient les deux yeux de Millénius, un ogre géant qui sema la terreur pendant des siècles dans les contrées du sud de l'atoll. Cette créature sanguinaire fut tuée par l'ancêtre du mage Amrak, qui découvrit les propriétés magiques de certaines parties du corps du géant. Entre autres, il avait découvert que si l'une des six griffes de Millénius était plantée dans le sol, une puissante créature émergeait, obéissant aux ordres de celui qui l'avait fait apparaître.

Trixx Birtoum : ami de Tarass Krikom et de Kayla Xiim. Surnommé Bleu.

Wrabeur : musicien nomade qui chante et qui produit toutes sortes de bruits avec sa bouche lors des fêtes foraines.

Yia sas : « bonjour » en grec.

Zarkils : grandes créatures meurtrières et sanguinaires constituant les troupes d'élite au service de Khonte Khan.

Zoombira : nom donné aux continents regroupés sur la Terre.